Prévenir le cancer,
ça dépend aussi de vous

Pr David Khayat

avec la collaboration de
Nathalie Hutter-Lardeau et de Laura Zuili

Prévenir le cancer, ça dépend aussi de vous

Odile Jacob

© Odile Jacob, octobre 2014

15, rue Soufflot, 75005 Paris

www.odilejacob.fr

ISBN : 978-2-7381-2924-6

J'ai écrit ce livre en pensant à vous,
tous mes patients que j'ai suivis et qui,
aujourd'hui, ont disparu.

Vos visages sont encore dans ma tête
et vos voix résonnent encore dans mon esprit.

J'aurais tant voulu que les choses ne finissent pas ainsi...

Vous m'avez donné l'impérieuse envie
de mieux lutter contre le cancer pour qu'un jour, enfin,
il cesse de nous priver de tant de gens que l'on aime !

Je vous dédie ce livre.

Introduction

Depuis près de quarante ans, je lutte contre le cancer et me bats pour aider les malades à vivre, à survivre. J'ai vu mourir des milliers d'entre eux, amaigris, épuisés, tant par la maladie que par les traitements.

Je dois vous l'avouer : si je me suis mis à chercher tout ce qui peut ou pourrait diminuer le risque de développer un cancer, ou même tout simplement en retarder l'apparition, c'est parce que, moi aussi, je suis rattrapé par cette peur. Mon métier de médecin et ce long compagnonnage avec la maladie ne m'ont pas mis à l'abri de cette crainte qui touche beaucoup d'entre nous.

Cerné par le cancer, par les cancers, entouré au quotidien par tous mes malades à qui j'essaie, parfois désespérément, de donner une chance de s'en sortir, de guérir, de croire à la guérison ou, au moins, à une rémission, je suis plongé depuis des dizaines d'années dans ce monde horriblement dur, cruel, du cancer et de ses traitements.

Alors, pourquoi le cacher ? J'ai peur du cancer comme d'un ennemi personnel, comme d'une menace étrange et permanente.

C'est pour cette raison que j'ai décidé d'écrire ce livre et de vous révéler tout ce que l'on sait aujourd'hui du cancer, de ses mécanismes d'apparition, de ses causes et surtout sur ce qu'il est possible de faire pour se prémunir et se donner le plus de chances possible d'en réduire le risque ou de l'éviter. Car il y a un certain nombre de choses à faire pour se protéger : des gestes simples, parfois moins évidents, dans le domaine de l'alimentation bien sûr, mais pas seulement : sur la sexualité, le sommeil, la pollution, les médicaments... Avec ce livre, j'ai essayé de vous transmettre tout ce que je sais, tout ce que j'ai vu, observé pendant trente-cinq ans pour vous aider le plus possible à éviter cette terrible maladie. Prévenir le cancer, c'est cela, agir en amont autant que possible et cela dépend de chacun d'entre nous. Nous pouvons faire chaque jour des petits choix, des petits gestes dans tous les domaines de notre vie quotidienne. Ils sont une manière de protéger notre santé.

Sur ce sujet très difficile, délicat et parfois même pénible, j'ai voulu tout de même vous proposer un peu de gaieté.

Loin d'écrire un texte linéaire, reprenant un à un tous les facteurs de risque du cancer ou, à l'inverse, tous les produits ou stratagèmes à même d'en réduire le risque, j'ai décidé de les aborder avec la même profondeur, mais en vous proposant un livre à la carte. Un livre qui, je le crois ou je l'espère en tout cas, correspond à notre façon de s'informer aujourd'hui, en passant d'un sujet à l'autre, sans nécessaire cohérence, d'une vitamine à la pollution, du sexe aux téléphones portables, de la forme ou de la taille d'un corps aux vernis à ongles. Certains sujets sont traités de façon approfondie et exhaustive, d'autres plus simplement, plus brièvement, sous forme de « brèves de santé ». À vous de passer de l'un à l'autre selon vos envies, selon le temps dont vous disposez.

Mais soyez certains que cette forme, qui simplifie la lecture, n'enlève rien au fait que ce livre contient des informations sérieuses, toutes tirées d'études de grande qualité et publiées dans les meilleures revues scientifiques. Ces informations forment au final une sorte d'essentiel des conseils anticancer destinés à vous éclairer, et peut-être à vous guider, sur tout ce qui touche au risque de développer un cancer.

J'ai écrit ce livre avec beaucoup de sincérité et, quand j'ai évoqué dans certaines pages le fait que ce que j'expliquais était non pas tiré d'une grande étude mais plutôt inspiré par certaines données scientifiques et livré ici sous la forme d'une conviction personnelle, je l'ai précisé, de manière à ce qu'aucun d'entre vous ne soit obligé de partager ce qui n'est, au fond, qu'une idée, une impression.

Il me reste à vous souhaiter une bonne lecture et à vous dire que chacun d'entre nous peut agir pour cultiver l'espoir.

Alors bonne lecture !

PARTIE I

Qu'est-ce que le cancer ?

CHAPITRE 1

Plusieurs facteurs, plusieurs causes

Après *Le Vrai Régime anticancer*, il m'a paru important d'aller plus loin dans ma démarche de recherche sur les actes de prévention possibles face à cette terrible maladie qu'est le cancer.

Avec un homme sur deux et une femme sur trois touchés par le cancer en France, avec 8,2 millions de morts par cancer dans le monde en 2012, le cancer est l'une des toutes premières causes de mortalité dans tous les pays.

Lequel d'entre nous peut-il prétendre ne pas connaître un parent, un ami, un collègue de travail touché ou, malheureusement peut-être même, décédé de cette maladie ?

Personne !

Cette maladie frappe aveuglément (du moins le pensait-on) tous les êtres humains, les riches et les pauvres, les jeunes et les vieux, les hommes et les femmes. Tout le monde !

Personne n'échappe à la peur

J'ai peur du cancer, non seulement pour moi, mais aussi et surtout pour ma femme et davantage encore pour mes enfants et mes petits-enfants.

Alors, bien sûr, me direz-vous, vous n'avez jamais cessé de croire aux progrès de la médecine et de la science. Vous nous avez toujours parlé de ces « chemins de l'espoir » et de votre conviction qu'un jour le cancer serait vaincu.

Pourquoi aujourd'hui avouer cette peur face au cancer ?

La réponse est sans doute que pendant cette période de près de quarante années passées au chevet de tant de patients, habité par mes espérances dans le progrès médical, j'ai acquis la conviction que le meilleur moyen de vaincre cette maladie, et plus encore d'éviter les souffrances et les séquelles, parfois terribles, des traitements anticancéreux, réside, sans aucune discussion possible, dans la prévention.

Prévenir, agir en amont, chaque jour, faire ce qu'il faut pour éviter le cancer, il n'y a pas de meilleur moyen...

Mais, force est de constater que la prévention reste le parent pauvre de la lutte contre le cancer, notamment dans les pays latins comme la France.

On y consacre trop peu de moyens, il n'y a pas assez de recherches dans ce domaine pourtant si logiquement prometteur.

À qui la faute ?

En réalité, pas seulement aux pouvoirs publics, à l'État. En grande partie, ce déficit tient à la complexité des causes du cancer. Comment prévenir une maladie dont on ne connaît pas bien la (ou les) cause(s) probables ?

À chaque cancer, des causes multiples

Des cancers en fait, il y en a plus de deux cents différents chez l'homme et, plus on avance dans la recherche, plus on découvre l'immensité de cette complexité : car, bien sûr, un cancer du poumon n'a rien à voir avec un cancer du sein, ou de l'ovaire. Mais, on le sait aujourd'hui, d'un cancer du sein à l'autre, ou d'un cancer de l'ovaire à l'autre ou d'un cancer du poumon à un autre, tout est différent, les causes, les mécanismes de développement de la maladie comme les chances d'en réchapper.

Et vous le savez bien !

Vous connaissez ou avez entendu parler d'une femme qui avait un cancer du sein et qui a guéri et d'une autre, elle aussi porteuse d'un même cancer du sein et qui en est décédée. Cela veut dire, si l'on écarte l'idée que l'une a été bien soignée et l'autre pas, cela veut bien dire que ces deux femmes en réalité n'avaient pas la même maladie. Que leurs cancers étaient différents.

Et c'est de ça dont il s'agit quand j'évoque la complexité du cancer et donc la complexité de sa prévention. Plus nous avançons dans l'intimité des mécanismes du cancer, plus nous sommes tentés de penser que pratiquement chaque malade a un cancer différent !

Vous vous rendez compte ? Cela signifie que, si nous voulons espérer guérir tous ces malades, 350 000 environ chaque année en France, il nous faudra comprendre la nature de chaque cancer, pour chaque nouveau cas et forcément alors proposer à chaque patient un traitement différent, sur mesure.

Oui, mais alors réfléchissons...

S'il y a un traitement différent pour chaque malade – ce que l'on appelle le « traitement à la carte » –, cela sous-entend également que, très probablement ou, en tout cas, tout à fait logiquement, les mécanismes qui ont conduit à chacun de ces cancers seront différents et que les éléments à mettre en jeu pour prévenir chacun d'entre eux seront bien évidemment tout aussi différents d'une personne à l'autre. Imaginez...

Cela, je l'avais expliqué dans un de mes précédents livres sur les liens entre alimentation et cancer : il ne peut pas y avoir de régime anticancer universel, valable pour chacun d'entre nous. Le même régime qui serait valable pour tout le monde, pour tous les cancers, cela ne peut pas exister.

Il n'y a pas d'aliment miracle, de boisson miraculeuse qui conviendrait à la prévention de tous les cancers, chez tous les individus, sans tenir compte du terrain, du profil ou des habitudes de vie.

Et ce qui apparaît clair et évident pour l'alimentation, vous en conviendrez, sera tout aussi vrai pour tous les autres facteurs de risque, dès lors qu'il s'agit de cancer.

Même si cela m'embête de le dire, car je suis un farouche ennemi du tabagisme, cela est même vrai pour la cigarette. La vraie, j'entends et nous reviendrons sur la cigarette électronique.

Pour la vraie cigarette avec combustion de tabac, nous savons tous qu'elle donne le cancer du poumon, de la bouche et tant d'autres cancers. Mais, pour autant, la vérité scientifique nous oblige à reconnaître que, même avec un facteur aussi cancérigène que le tabac, seul à peu près un fumeur sur six va développer un cancer du poumon. Cinq sur six d'entre eux seront absolument épargnés par le cancer alors même qu'ils fument.

La part de l'hérédité, la part du mode de vie

Les mécanismes à l'origine des cancers ne sont pas les mêmes chez tous les individus et c'est ce qui va expliquer pourquoi, certains peuvent fumer sans développer de cancer et d'autres pas.

Cela va tenir, on le sait aujourd'hui, non pas à de vrais « gènes du cancer », ceux dont on a parlé à l'occasion de l'opération d'Angelina Jolie, mais à des gènes de susceptibilité du cancer.

Quelle est la différence ?

Si vous êtes porteur d'une de cette quinzaine de « gènes du cancer », vous êtes presque sûr de développer le cancer en question, ou en tout cas, une probabilité supérieure à 60-70 %.

Et ce, quels que soient vos habitudes alimentaires ou vos comportements et l'attention que vous y portez. Vous n'y êtes en fait pour rien. Quoi que vous fassiez ou ne fassiez pas, le cancer va vous rattraper. Une forme de fatalité héréditaire.

Seule prévention possible à ce jour : enlever préventivement l'organe où le cancer va très certainement se développer en fonction du gène ; c'est l'exemple du gène du cancer du sein chez Angelina Jolie ou celui du gène du cancer du côlon. Gestes terribles que d'enlever les seins ou le côlon ! Mais, gestes assez efficaces finalement, car le gène en question cible un organe particulier et autorise donc une action préventive sur cet organe précis.

Oui, mais voilà. Ce type de gène ne concerne que 5 % à peine des cancers développés chaque année en France ; 5 % à peine. Un sur vingt ! C'est très peu... Pour l'immense majorité, pour les 95 % restants, il n'y a aucun « gène du cancer ».

Mais alors, me direz-vous, pourquoi ces 95 %-là développeront-ils un cancer ?

La réponse est assez complexe et nous commençons à peine à en entrevoir la raison. En fait, la plupart d'entre nous possédons, dans notre patrimoine génétique, dans nos fameux 46 chromosomes, non pas des « gènes du cancer » mais des gènes de « susceptibilité au cancer ».

La différence est énorme car si les premiers vous donnent à coup presque sûr un cancer, quoi que vous fassiez, les seconds ne font qu'augmenter un tout petit peu vos risques d'en avoir un et, en plus, à la seule condition que, pendant votre vie, vous soyez en contact avec un facteur potentiellement cancérigène. Qu'il s'agisse d'un aliment, du soleil, du tabac...

En d'autres termes, là, il n'y a pas de fatalité.

En évitant le contact avec le facteur cancérigène, l'élément susceptible de favoriser le développement de la maladie, vous devriez pouvoir alors éviter le cancer.

Oui, mais voilà : nous commençons à peine, comme je l'ai dit, à connaître ces gènes de susceptibilité et, pour l'instant, il est impossible de dire à quelqu'un s'il les possède et, si oui, le(s)quel(s) ? C'est-à-dire quelle susceptibilité ou quel risque pour quel facteur cancérigène ? C'est-à-dire aussi, pour quel type de cancer ?

C'est l'exemple que j'ai cité plus haut, de ce fumeur parmi six autres qui va développer un cancer du poumon en fumant alors, que, d'une part, les cinq autres ne le développeront pas (ils n'ont pas, eux, ces gènes de susceptibilité liés au tabac) et que, d'autre part, si le fameux fumeur « susceptible » n'avait pas fumé, il n'aurait probablement pas été malade de ce cancer du poumon.

Bien, j'espère que jusque-là, vous me suivez.

Donc, la plupart d'entre nous développons des cancers car nous possédons des gènes qui nous rendent plus fragiles vis-à-vis de tel ou tel produit ou comportement cancérigène.

Bien qu'à ce jour nous soyons incapables de les mettre en évidence par un test génétique, je suis persuadé qu'un jour prochain, nous en serons devenus capables et cela constituera alors une formidable avancée dans la prévention du cancer.

Imaginez…

Nous pourrons dire à l'avance, dès le plus jeune âge (bien sûr seulement à ceux qui voudraient le savoir), à quelqu'un qu'il est vraiment à risque de développer un cancer s'il fume par exemple, pour le cancer du poumon, ou s'il va au soleil pour les cancers de la peau… et ainsi de suite.

L'avènement de ces tests posera bien sûr d'autres questions éthiques comme celle de la liberté de ne pas savoir… mais cela est une autre histoire.

Revenons aux causes de cancer.

Jusqu'ici, nous avons évoqué les différentes causes de cancer, comme l'hérédité (5 %), le tabac (30 %), l'alimentation (20 %) ou encore les hormones (30 %), les virus et les bactéries (10 %) et les facteurs physiques comme le soleil, la radioactivité ou la pollution (5 %).

Énoncées de la sorte, les causes de cancer en France semblent parfaitement claires.

Le seul problème, et il est considérable, c'est que la plupart d'entre nous, qui ne fumons pas, nous avons du mal à nous dire que ces causes, qui nous sont quand même étrangères, peuvent expliquer directement le cancer de tel ou tel organe que nous allons développer dans le temps de notre vie.

Il faudrait, par exemple, un contact vraiment massif avec la pollution de l'air pour que cette pollution soit la cause déclenchant un cancer du poumon chez un non-fumeur.

Or aucun de nous ou de tous ceux qui, bien que non-fumeurs, vont se voir diagnostiquer un cancer du poumon, ne subissent un tel contact massif !

Même les agents de circulation ou les cyclistes en ville n'ont, statistiquement, pas beaucoup plus de risques de développer un cancer du poumon que les autres !

Alors, comment expliquer tous ces cancers à partir d'un tableau aussi simple avec à peine six ou sept causes possibles ?

Une accumulation de petites causes

En réalité, je suis persuadé que, chez la plupart des gens, le cancer n'est pas lié à un contact massif avec un facteur cancérigène très puissant mais plutôt, et c'est l'essentiel, qu'il est le résultat d'une accumulation de petits contacts avec des petits facteurs cancérigènes.

Aucun, à lui seul, de ces contacts ne serait suffisant pour provoquer l'apparition d'un cancer. Mais, l'addition de dizaines de petits contacts ou de dizaines de petits facteurs faiblement cancérigènes peut finir par entraîner un vrai cancer.

En fait, un peu de pollution, un peu de tabagisme passif, un peu d'un aliment pas bon pour vous, un peu de solvant dans les produits de ménage, un peu de chrome VI dans le cuir des chaussures, ajouté à cela un peu de soleil, un peu de radioactivité résiduelle dans l'atmosphère après Tchernobyl ou Fukushima, un peu de vitamine E dangereuse, un peu de stress... et voilà le cocktail dangereux qui prépare l'arrivée du cancer.

Pris isolément et aux doses que j'évoque, aucun de ces éléments à lui tout seul ne peut vraisemblablement provoquer un vrai cancer. Mais, additionnés les uns aux autres, tous ces facteurs cancérigènes faibles, tous ces contacts pourtant limités vont aboutir à une véritable catastrophe biologique : le cancer.

Le risque des doses faibles

À l'époque où je dirigeais l'Institut national du cancer, l'Académie de médecine s'était penchée sur ce problème dit « des doses faibles ».

Il s'agissait, par exemple, d'étudier l'augmentation du risque de cancer lié à la pollution urbaine ou à l'irradiation liée aux examens radiologiques (radio, scanner) que nous faisons tous.

Respirer un peu de pollution, du type et du niveau de celle que nous avons à Paris ou à Marseille, ou alors, faire un simple scanner ne peut réellement donner un cancer. Réfléchissez. Si c'était le cas, tous les citadins auraient un cancer. Ou toutes celles ou ceux qui font une mammographie, ou une radio des poumons. Or ce n'est pas le cas.

Mais la question vaut la peine d'être posée : est-ce que cela n'augmente pas pour autant le risque de cancer ?

La réponse de l'Académie fut globalement la suivante : peut-être cela augmenterait le risque mais force était de constater que nous n'en savions pas grand-chose, car nos modèles d'études sont incapables d'évaluer le risque de ces fameuses « doses faibles ».

Qu'un ouvrier de Fukushima irradié massivement (dose forte) ait un cancer, ça, nous pouvons sans difficulté faire le lien de cause à effet. Mais est-ce qu'un individu qui va manger une seule fois un légume un peu contaminé (dose faible) est statistiquement plus à risque de faire un cancer, ça, nous ne savons pas le démontrer.

Ce que je veux dire ici, la théorie que je veux développer devant vous et qui tient à l'observation de tous ces malades cancéreux que j'ai été amené à voir dans ma vie, c'est que l'effet d'un légume contaminé s'est ajouté à l'effet d'un stress important qui lui-même s'est additionné à l'effet d'une cuisson au wok trop fréquente et à une multitude d'autres effets qui, à eux seuls étaient incapables de provoquer un cancer, mais qui, additionnés les uns aux autres ont fini par le générer.

Cela, si vous l'avez bien compris, a deux implications au moins. La première, c'est que, finalement, puisque le cancer chez presque tous les malades résulte d'une multitude d'effets faiblement cancérigènes, si vous voulez essayer de réduire vos risques personnels, ne pas fumer par exemple ne va pas être suffisant. Il va falloir jouer également sur de nombreux autres facteurs ou comportements.

La seconde implication est que de ce fait l'idée que la prévention du cancer est une chose relativement facile est à oublier. À oublier définitivement !

Et c'est là, la raison première pour laquelle j'ai décidé d'écrire ce livre et vous proposer ces enseignements.

Ce livre reprendra dans les pages qui vont suivre, et après un petit chapitre sur les mécanismes de la transformation d'une cellule normale en une cellule maligne à l'origine d'un cancer, toutes les informations utiles liées à ces multiples petits risques susceptibles de s'additionner les uns aux autres et d'être responsables, *in fine*, du cancer que vous pouvez risquer de développer ou pas.

CHAPITRE 2

La biologie du cancer

La question qui m'est probablement le plus souvent posée est certainement celle qui porte sur les mécanismes qui conditionnent l'apparition d'un cancer.

En réalité, dans cette question, il y a deux points distincts qu'il me faut à présent vous expliquer, sans quoi il me serait impossible, plus loin dans ce livre, de vous décrire tous les facteurs (aliments, comportements, causes environnementales…) qui peuvent soit augmenter vos risques d'avoir un jour un cancer, soit, au contraire pourraient vous protéger contre cette terrible maladie.

Ces deux choses sont : d'abord, comment naît un cancer ou, plus précisément comment une cellule devient cancéreuse et, ensuite, qu'est-ce qui fait que cette première cellule cancéreuse va se multiplier dans votre corps, se développer et provoquer, à la fin, l'apparition d'un cancer.

Mais, avant d'aborder ces deux parties de la question, commençons par expliquer ce qu'est une cellule, comment elle fonctionne et ce qu'elle est capable de faire.

À l'origine, la cellule

Commençons par le commencement. En fait, un corps humain, comme d'ailleurs tout ce qui vit sur terre (les animaux, les plantes…) est constitué de l'assemblage parfaitement maîtrisé d'une multitude de petites « briques » baptisées « cellules ». C'est le matériau à partir duquel on fabrique des êtres vivants.

Dans un corps humain adulte, il y en a environ 1 million de milliards, c'est-à-dire le chiffre 1 suivi de quinze zéros. Un chiffre immense et qui sous-entend bien la petitesse de chacune de ces cellules et donc explique pourquoi vous ne les voyez pas à l'œil nu, mais seulement au microscope.

D'où viennent toutes ces cellules ?

Très bonne question !

Au départ, ce million de milliards de cellules proviennent de la multiplication d'une toute première cellule née, dans l'utérus, de la fécondation d'un ovule, provenant des ovaires de la future maman (femelle) et d'un spermatozoïde provenant des testicules du futur papa (mâle). Encore une fois, cela est vrai pratiquement pour tous les animaux et les plantes.

Revenons à notre ovule qui vient d'être fécondé dans le ventre d'une future maman. Que se passe-t-il ensuite ?

Dès cette fécondation, cette toute première cellule d'un futur être vivant va s'engager dans deux processus. Le premier, immédiat, est que cette première cellule va se diviser pour en donner deux, puis, nouvelle division qui va en donner quatre, puis chacune des quatre cellules va se diviser à son tour pour en donner huit et ainsi de suite…

N'oubliez pas qu'il va bien falloir qu'à la fin des fins, on aboutisse à un individu adulte qui est composé de 1 million de milliards de ces cellules, toutes dérivées de cette fameuse première cellule.

Il s'agit là d'un processus « quantitatif » qui vise à créer des cellules en très grand nombre pour arriver, à partir d'une cellule, à en avoir 1 million de milliards.

Très vite, au stade où dans l'utérus, le futur bébé (on ne l'appelle même pas encore à ce stade embryon) n'est constitué pour l'instant que de quelques centaines ou milliers de cellules, un deuxième processus va se mettre en route.

Toutes ces cellules, encore peu nombreuses comme on l'a dit, sont encore absolument identiques les unes aux autres. Elles se multiplient par division (une en donne deux), mais les cellules qui naissent sont identiques à la fois entre elles, et vis-à-vis de la cellule qui leur a donné naissance. Toute cellule qui va se diviser, s'appelle « cellule mère » et celles qui viennent de naître de sa division, sont appelées « cellules filles ».

Vous avez bien compris qu'une cellule fille va, à son tour, devenir une cellule mère en engendrant deux cellules filles.

Mais revenons à ce stade où elles ne sont encore que très peu nombreuses. Certaines cellules vont devenir différentes des autres. On dit qu'elles se différencient. En se différenciant ainsi, chacune d'entre elles va prendre des caractéristiques différentes, à la fois dans sa forme mais surtout dans sa fonction ou son rôle. Il va s'agir cette fois d'un processus « qualitatif ».

Par exemple, une cellule va se mettre à battre (comme un cœur qui bat), c'est-à-dire qu'elle va s'étirer ou se contracter. À partir du moment où cette cellule a acquis cette propriété de battre, chaque fois qu'elle se divisera pour donner naissance à deux nouvelles cellules, ces cellules filles battront elles aussi.

En restant groupées entre elles, elles finiront par constituer le cœur ! Si le cœur bat, c'est que chacune des cellules qui le composent bat.

Et il en est ainsi de l'origine de chacun de nos organes et des fonctions que chaque organe assure (voir pour l'œil, fabriquer de l'urine pour les reins…). Au total, quand l'embryon, puis le fœtus, a fini sa formation, il contient ainsi près de deux cents types de cellules différentes. Ces deux cents types de cellules différentes regroupées entre elles vont constituer les « organes ».

Mais vous êtes en droit de vous poser la question : qu'est-ce qui fait qu'à chaque fois, pour chaque nouveau bébé, la première cellule puis à leur tour toutes les cellules qui vont en dériver se mettent à faire ces deux choses assez incroyables quand on y réfléchit bien : se multiplier et se différencier.

Ce qui fait qu'une cellule est capable de réaliser ce processus résulte du fait qu'elle obéit aux ordres que lui donnent en permanence des sortes de petits logiciels qu'elle contient, inscrits sur ses chromosomes et qu'on appelle des « gènes ».

En effet, une cellule est comparable à un ordinateur. Sans logiciel, l'ordinateur ne fait rien, si ce n'est décorer votre bureau. Installez-lui des logiciels et il sera capable de faire une quantité de choses : écrire un texte, faire des tableaux, communiquer sur Internet...

Il en est de même pour nos cellules.

Elles ont beau être 1 million de milliards, constituer la base de toute matière vivante, elles sont incapables de faire quoi que ce soit sans les gènes qu'elles contiennent.

Dans mon précédent livre[1], je vous avais expliqué de quelle manière les gènes sont écrits sur nos chromosomes.

Je sens que vous avez peut-être envie que je vous le réexplique plus brièvement ici.

Au cœur de l'ADN

Nos chromosomes (46 dans l'espèce humaine), que l'on appelle aussi ADN, à l'intérieur de chacune de nos cellules, sont constitués de deux filaments très, très fins qui mesurent chacun 2 mètres de long. Non, il ne s'agit pas d'une erreur de typo, j'ai bien dit 2 mètres de long !

Un de ces brins d'ADN vient du mâle, apporté par le spermatozoïde dans la fameuse première cellule, et l'autre provient de la femelle, apporté par l'ovule.

---

1. *Le Vrai Régime anticancer*, Paris, Odile Jacob, 2010, 2012.

Chacun des deux brins ou filaments d'ADN est porteur de l'hérédité de vos deux parents respectifs.

Ces brins d'ADN sont en fait constitués de l'assemblage bout à bout de 3 milliards de très petites molécules chimiques dont il existe quatre modèles différents et qui se tiennent les unes aux autres. On les appelle entre scientifiques ATCG.

Ces quatre molécules définissent l'alphabet génétique ou code génétique.

Selon leur séquence, ces lettres assemblées vont écrire des mots puis des phrases.

Ce sont ces phrases génétiques, écrites le long de nos filaments d'ADN, dans nos 46 chromosomes, qui expliquent à chacune de nos cellules, à chaque instant, ce qu'elle doit faire et comment elle doit le faire.

Ces phrases, ce sont tout simplement nos gènes !

J'espère que vous avez réussi à me suivre dans ce voyage que nous venons de faire ensemble pour passer d'un individu entier, disons, vous ou moi, pour comprendre ensuite qu'il était constitué, à une échelle plus petite, de 1 million de milliards de cellules, de 200 types différents puis, en changeant encore d'échelle, qu'à l'intérieur de chacune de ces cellules il y avait 46 chromosomes constitués de deux filaments de 2 mètres de long d'ADN, qui, si l'on est capable de voir l'infiniment petit, sont fabriqués eux-mêmes par l'alignement de 3 milliards de lettres du code génétique, qui se tiennent les unes aux autres et qui, par leur séquence, écrivent les gènes dont, en retour, chaque cellule a besoin pour savoir ce qu'elle doit faire et comment le faire.

Des gènes fonctionnels et des gènes altérés

Les gènes sont, comme je vous l'ai dit, des sortes de logiciels ou plus simplement des recettes.

Leur nombre, leur positionnement le long des filaments d'ADN sont rigoureusement déterminés pour chaque espèce vivante, et dans une espèce donnée, d'un individu à l'autre.

Chez nous, dans l'espèce humaine, il y a environ trente mille gènes.

Certaines espèces vivantes, comme certains virus par exemple, n'en ont que quatre.

Si vous vous rappelez ce que j'ai écrit au début de ce chapitre, à savoir qu'une cellule, globalement, était capable de faire deux choses : d'une part se multiplier pour créer de nouvelles cellules (sachez que chaque jour de votre vie, vous fabriquez au moins 70 millions de nouvelles cellules toutes neuves pour remplacer les 70 millions qui meurent chaque jour) et, d'autre part, assurer une fonction bien précise, propre à l'organe dans lequel elle se trouve comme battre pour le cœur, ou voir pour l'œil.

Eh bien, réfléchissez, si une cellule ne fait que ce que ses gènes lui disent de faire, c'est qu'il y a deux types de gènes : ceux qui contrôlent la multiplication cellulaire ou la division des cellules et ceux qui expliquent à la cellule comment assurer sa fonction.

Imaginons maintenant – et rassurez-vous, nous arrivons à la fin de l'explication – qu'un gène s'abîme, s'altère. Ces brins d'ADN sont tellement fins ! Rappelez-vous : ils mesurent chacun 2 mètres de long !

Si une ou plusieurs lettres génétiques, les fameux ATCG, se trouvent mal positionnées dans le filament par exemple, ou manquent à l'appel, que va-t-il se passer ?

En fait, si cela survient, et malheureusement cela arrive en permanence dans l'une ou l'autre de nos cellules, ce peut être gravissime.

Pourquoi ?

La raison est que si cette altération de la séquence des lettres survient sur un gène de fonction, là, à la rigueur, ce n'est pas trop grave. Par exemple, une cellule qui ne bat pas dans un cœur qui en contient des dizaines de millions n'a pas d'effet dommageable ; les autres cellules continuent de faire battre le cœur et, comme chaque cellule a une durée de vie limitée, celle qui ne bat pas sera assez rapidement remplacée.

Mais imaginez maintenant que cette altération survienne sur un gène qui contrôle la multiplication cellulaire, la division des cellules, que va-t-il se produire ? Cette cellule peut très bien, tout simplement, se mettre à se multiplier, à se diviser et ce, alors que personne ne le lui avait demandé. Cette cellule va s'emballer et en donner 2, puis 4, puis 8, puis 16, 32, 64, 128, 256, etc. et cela n'est rien d'autre que ce qui se passe dans un cancer.

C'est cela un cancer : des cellules dont les gènes qui contrôlent leur multiplication, leur renouvellement se sont abîmées et enclenchent alors un processus de prolifération. Mais, bien sûr, vous êtes en droit de vous demander comment une séquence de lettres génétiques (ATCG) peut être altérée.

Par quels mécanismes l'ordre fondamental dans lequel sont réparties et organisés ces lettres, ces mots ou ces phrases si lourdes de sens peut être modifié ?

En réalité, il existe de nombreuses façons de voir s'altérer notre génome, notre patrimoine génétique.

Trois mécanismes sont parmi les plus fréquemment mis en jeu : le stress oxydatif, les actions chimiques dues à des substances cancérigènes et, même si cela vous semble un peu fou, le système de réparation qui abîme encore plus ce qu'il aurait dû réparer !

Nous verrons un peu plus loin ce troisième facteur.

Le processus du stress oxydatif

Voyons donc ensemble les deux premiers et commençons par le stress oxydatif. Ce fameux stress oxydatif pour lequel on vous propose tant de méthodes de détox, toutes plus farfelues les unes que les autres.

De quoi s'agit-il ? Bien sûr, je vais simplifier cela à l'extrême en demandant par avance pardon à mes collègues scientifiques.

Voilà, imaginez que toute cellule est en fait une sorte de « boule » infiniment petite, contenant tout ce qui est nécessaire à la fois à sa survie (système respiratoire, centrale énergétique...) et à sa fonction (protéines, enzymes, ADN des chromosomes avec les gènes dont on a parlé).

Tout cela est bien évidemment regroupé à l'intérieur d'une enveloppe que l'on appelle la membrane cellulaire. C'est au travers de cette enveloppe que la cellule effectue ses échanges avec tout ce qui l'entoure, de même que la communication entre les cellules elles-mêmes.

Pour comprendre la suite, il faut bien avoir à l'esprit que tout phénomène d'échange au travers d'elle est parfaitement contrôlé par cette membrane, cette enveloppe, et qu'il n'est pas question que quoi que ce soit entre ou sorte librement, mais uniquement sous son contrôle très sélectif (mais, on va le voir, pas suffisant quand même).

Bien. Premier élément, le décor est mis en place.

Deuxième élément : il faut savoir que, si quand nous respirons, nous faisons entrer dans nos poumons l'oxygène dont nous avons besoin et si nous faisons sortir lors de nos expirations le gaz carbonique dont nous voulons nous débarrasser, ce qui se passe à l'intérieur de chacune de nos cellules est bien différent. Quand une cellule « respire », ce qu'elle fait à longueur de journée, elle prend de l'oxygène, celui que vous avez inspiré et qui, lui, est amené par le sang frais qui l'irrigue, mais, au lieu de recracher du gaz carbonique, elle produit des molécules dérivées de l'oxygène, ce qu'on appelle des radicaux oxygénés ou encore des radicaux libres.

Or ceux-ci sont de véritables poisons !

Ce sont des molécules extrêmement réactives, qui attaquent et détériorent tout ce qu'elles touchent, un peu comme de la soude caustique, et qui, comme elles sont extrêmement instables chimiquement, n'arrêtent pas de s'agiter, dans des mouvements confus, incohérents, à l'intérieur de cette fameuse membrane cellulaire qui ne les laisse pas sortir !

Vous vous rendez compte, des petites molécules caustiques qui bougent dans tous les sens, entrant en collision avec les protéines, les enzymes et, plus grave, avec l'ADN contenu dans les cellules, prisonnières à l'intérieur d'un espace clos. Elles frappent le filament d'ADN, l'abîment, l'altèrent.

Ces collisions avec l'ADN provoquent le détachement d'une lettre par-ci, d'une lettre par-là, changeant profondément le sens des mots, donc des gènes, pouvant de ce fait, involontairement, en activer certains ou en bloquer d'autres, perturbant considérablement et, forcément, dangereusement, l'équilibre si précaire de nos gènes et de toute la machinerie cellulaire.

C'est ça, le stress oxydatif.

Imaginez que ces collisions endommagent un des gènes qui contrôlent normalement la multiplication cellulaire et c'est, potentiellement, la catastrophe : une cellule qui commence à se multiplier alors qu'on ne le lui demandait pas et c'est peut-être le début d'un cancer.

Pour simplifier et pour finir cette explication – mais, ne vous inquiétez pas nous verrons cela plus en détail plus loin –, ce que font les antioxydants (ou en tout cas les bons), c'est bloquer ces radicaux libres, ces radicaux oxygénés et les empêcher ainsi de produire leurs effets néfastes, d'abîmer notre ADN et, par conséquent, réduire notre risque d'avoir un cancer.

Lorsque l'information génétique est perturbée

Pour comprendre le deuxième mécanisme, il faut d'abord que je vous explique comment l'information contenue dans un gène peut être transmise à la cellule pour soit lui commander de se diviser ou d'arrêter de le faire, soit lui expliquer comment et lui donner les moyens d'assurer sa fonction.

Pour le comprendre, imaginez ces deux longs filaments d'ADN, on l'a vu de 2 mètres de long chacun, constitués, si on regarde de plus près, de 3 milliards de lettres génétiques accrochées les unes aux autres et dont la séquence précise porte la totalité de l'information génétique.

Eh bien, chaque fois que la cellule a besoin d'une de ces informations indispensables à sa survie ou à sa fonction, elle envoie le long des filaments une sorte de « tête de lecture » qui avance lettre par lettre le long du brin d'ADN et lit leur séquence. Ensuite, une fois recueillie l'information demandée, cette tête de lecture va dans une autre partie de la cellule où se trouve l'usine à fabriquer les protéines et apporte aux ouvriers de l'usine la recette correspondante. Et c'est ainsi qu'à chaque instant notre ADN est lu, l'information recueillie puis transmise et le produit de nos gènes fabriqué de manière à ce que chacune de nos cellules soit à même de faire ce qu'elle a à faire.

Voilà, c'est finalement assez simple et ça fonctionne depuis la nuit des temps ! À condition, bien sûr, que d'une part l'information génétique, donc l'ordre, la séquence des lettres, soit bon et d'autre part que la tête de lecture puisse circuler librement le long des brins d'ADN.

Pour ce qui est de la séquence, nous avons déjà abordé le phénomène d'altération du génome et nous le verrons un peu plus loin à propos des systèmes de vérification et de réparation.

Mais ce qui nous intéresse ici, c'est la liberté de circulation de la tête de lecture.

En effet, imaginez qu'une molécule chimique, ayant pénétré à l'intérieur de la cellule, s'étant approchée de l'ADN vienne réagir chimiquement avec lui, c'est-à-dire se coller à lui.

La tête de lecture va venir buter sur cette molécule collée à l'ADN et qui va l'empêcher de passer et d'assurer sa lecture des gènes.

Pire encore. Imaginez qu'une de ces molécules soit dotée de deux petits bras capables chacun de se coller à un morceau d'ADN et que, ce faisant, crée un pont entre les deux brins d'ADN. Plus rien ne passe, plus rien ne circule. La tête est complètement bloquée. Elle bute sur la molécule collée, un peu comme si quelqu'un avait mis des poutres sur les rails d'un train. Il ne peut plus circuler. Il s'arrête, complètement bloqué. Et pire encore si ces poutres débordent sur deux rails bien sûr.

Que fait le conducteur de train lorsque cela arrive ?

Il appelle des ouvriers de maintenance pour qu'ils viennent débarrasser les rails. Et, parfois, à force d'être sollicitées, ces équipes se trompent et, au lieu de réparer ce qui ne va pas, finissent, excédées, par faire un peu n'importe quoi et abîment encore plus la voie ferrée !

C'est exactement ce qui se passe malheureusement parfois dans nos cellules et cela finit par aboutir, comme on va le revoir plus loin, à provoquer l'apparition d'un cancer.

Car ces molécules chimiques capables de se coller à l'ADN sont typiquement ce que l'on appelle des molécules ou des substances « cancérigènes ».

Voilà la première étape dont nous avions parlé au tout début : voilà comment une cellule normale va devenir maligne ou cancéreuse.

Des transformations malignes quotidiennes

Une deuxième étape est encore nécessaire pour réellement aboutir à un cancer.

En effet, on ne peut pas imaginer, si l'on tient compte à la fois de la fragilité de tout ce système, expliquée notamment par sa taille infiniment petite, et d'autre part du nombre infiniment grand de cellules présentes dans notre corps comme du nombre gigantesque (70 000 000) de nouvelles cellules fabriquées tous les jours, tout au long de notre vie, on ne peut pas sérieusement imaginer que ces phénomènes d'altération génétique et de transformation maligne ne surviennent pas en fait à chaque instant, à chaque moment de nos vies.

Nous fabriquons en quelque sorte des cellules cancéreuses tous les jours.

Ou, si vous voulez, à l'inverse, la probabilité que cet événement de transformation maligne ne survienne jamais est beaucoup, beaucoup trop faible pour que cette hypothèse soit réaliste.

Désolé de vous l'annoncer ainsi, mais nous fabriquons tous, tous les jours vraisemblablement même, des cellules cancéreuses dans nos corps.

Oui, mais alors pourquoi ne développons-nous pas tous de véritables cancers, pour autant ?

Nous avons un système de réparation

En essayant de simplifier, il y a deux raisons au fait que nous ne développions pas tous des cancers.

Commençons par la première : de quoi s'agit-il ?

Cela est en fait assez simple. Si les cancers sont dus à des altérations de la qualité de l'ADN de nos cellules comme nous l'avons vu, heureusement pour nous, il existe des systèmes permanents de vérification et de réparation de nos filaments d'ADN.

Pour le comprendre, essayez d'imaginer ce filament d'ADN extrêmement fin et donc fragile (je vous rappelle que si l'on mettait bout à bout tous ces filaments contenus dans notre corps, on obtiendrait un filament d'environ 20 millions de milliards de kilomètres, et ce, simplement pour l'ADN d'un individu !), constitué, quand on le regarde, de plus près, de 3 milliards de molécules de lettres génétiques qui se tiennent « par la main ».

On l'a vu, de temps en temps, certaines de ces molécules, de ces lettres, vont subir des modifications. Par exemple, une lettre peut sauter et disparaître, une autre peut se déplacer et se retrouver à une mauvaise position et ainsi de suite, et, on l'a vu aussi, ces altérations, ces modifications risquent de créer une cellule folle si, par hasard et malchance, ces changements surviennent sur un des gènes qui contrôlent le processus de multiplication de la cellule provoquant alors sa prolifération désastreuse.

Pour éviter ce risque ou, en tout cas, le diminuer au maximum, la nature a créé des mécanismes de vérification.

Assez régulièrement, tout au long de la vie d'une cellule, un vérificateur part d'une extrémité du filament d'ADN et, en lisant une à une les 3 milliards de lettres qui le composent, s'assure que ces lettres sont parfaitement positionnées. S'il détecte une anomalie, il met en jeu un incroyable système de réparation : il fait appel à une enzyme « coupeuse » qui accourt le long du filament jusqu'à l'endroit où le vérificateur lui a signalé l'anomalie et cette enzyme va couper l'ADN de part et d'autre de la position repérée.

Une autre enzyme va alors à son tour accourir, on l'appelle, elle, une « synthétiseuse ». Elle va refabriquer très précautionneusement le bout d'ADN qui a été enlevé par la coupeuse, mais, bien sûr, en veillant à ce que, cette fois, la séquence des lettres soit de nouveau parfaite.

Puis, dernière étape, une troisième enzyme arrive à son tour, une enzyme « colleuse » qui va recoller les deux extrémités du nouveau bout d'ADN parfait qui vient d'être fabriqué.

Et le filament d'ADN retrouve et sa perfection et sa continuité.

Pourquoi pouvons-nous, malgré tout, avoir un cancer ?

La raison en est simple et logique et chacun d'entre nous la comprendra aisément.

Elle vient renforcer l'hypothèse qui est la mienne et que j'explique dans ce livre, selon laquelle, la plupart du temps, le cancer ne résulte pas de l'action massive d'un « gros » facteur cancérigène mais plutôt de l'addition, de l'accumulation de « petits » événements cancérigènes assez faibles. Chacun d'entre eux, seul, n'a pas la capacité d'entraîner un cancer, mais tous ensemble, ces petits facteurs, les uns après les autres, tout au long d'une vie, finissent par provoquer l'apparition d'une tumeur maligne.

À chaque fois que l'ADN s'abîme et que, pour être réparé, il sollicite la mise en œuvre de ce merveilleux système de restauration, il existe un risque que, en réalité, ce système provoque lui-même d'autres altérations, d'autres mutations sur l'ADN qu'il était censé réparer.

Plus il est sollicité, moins ce système est performant et donc plus vous augmentez le risque qu'en venant réparer il provoque lui-même, en fait, une véritable catastrophe.

Prenons un exemple pour mieux comprendre. Imaginez ce qui se passe chez un fumeur. S'il fume une seule cigarette, une fois dans sa vie, il y a un risque que les substances cancérigènes contenues dans la fumée provoquent une mutation sur l'ADN d'une de ses cellules du poumon. Le système de réparation est appelé à la rescousse et très probablement il va réparer cette mutation.

En d'autres termes, une seule cigarette dans sa vie n'augmente pas vraiment le risque de cancer du poumon. Continuons avec l'exemple du fumeur.

Imaginez maintenant que ce fumeur fume 40 cigarettes par jour, tous les jours depuis dix ans, il va se produire des milliers de mutations dans ses cellules pulmonaires et, à chaque fois, le système de réparation va intervenir et essayer d'arranger tout cela.

Oui, mais voilà, à force de travailler toute la journée, des milliers de fois, il y aura de grandes chances qu'à un moment, le système de réparation fasse son travail de travers et qu'au lieu de bien réparer l'ADN d'une cellule, il reparte en laissant des altérations et, on l'a vu, selon l'endroit où se situe cette altération sur l'ADN, selon le gène concerné, cela peut tout à fait aboutir à l'apparition d'un cancer.

Cette vérité est aussi simple que terrible !

Un peu plus haut, je vous ai parlé de deux systèmes qui nous protègent du cancer, même si, par évidence, puisqu'un homme sur deux va développer un cancer dans sa vie, ces systèmes sont loin d'être parfaits.

On a vu le système « interne » à la cellule, voyons maintenant le système « externe ».

Vous avez entendu parler du système immunitaire. Ce merveilleux système fait de globules blancs, qui nous protège en permanence contre tout ce qui nous menace : bactéries, virus, parasites…

En fait, ce système nous protège en temps normal d'une manière exceptionnelle.

Il veille en permanence, grâce à certains globules blancs, sortes de vigiles, qui se déplacent dans tout votre corps, véhiculés par la circulation du sang et, dès qu'un de ces vigiles détecte une menace, il appelle d'autres globules blancs tueurs qui arrivent à toute vitesse et qui, soit directement dans un vrai corps à corps avec l'agent infectieux détecté, soit en sécrétant des espèces de missiles terriblement précis et mortels que l'on appelle des anticorps, vont engager un combat sans merci jusqu'à la totale destruction et élimination de l'ennemi.

Là aussi, comme dans le mécanisme de réparation, tout pourrait *a priori* sembler parfait.

Une cellule devient cancéreuse, elle est donc devenue une menace, le système immunitaire se met en route, la trouve, la reconnaît et la détruit. Si cela fonctionnait aussi bien, le monde serait merveilleux et il n'y aurait plus de cancer.

Seulement, voilà, là aussi, la perfection, l'efficacité à 100 %, cela n'existe pas.

En fait, ce qui va se passer avec les cellules cancéreuses, c'est qu'elles sont très fortes pour échapper à ce système.

Pour simplifier, elles vont, pour éviter d'être détruites, utiliser deux types de stratagèmes.

Le premier consiste à faire en sorte de ne pas être repérée comme une menace, de ne pas être localisée, détectée. Pour ce faire, la cellule cancéreuse peut par exemple se recouvrir d'autres cellules qui circulent dans le sang grâce à une colle qu'elle va sécréter à sa surface. Les globules blancs vigiles qui circulent n'y verront que du feu puisqu'ils ne distingueront qu'une boule de cellules normales.

Dans le deuxième stratagème, très souvent utilisé, les cellules cancéreuses vont sécréter des substances qui vont paralyser les globules blancs du système immunitaire, un peu comme un agent paralysant. Dès qu'une cellule du système immunitaire s'approche de la cellule cancéreuse, cette dernière lui envoie son « gaz paralysant » et la réaction d'attaque contre elle s'arrête immédiatement.

Il existe aussi d'autres mécanismes qui peuvent affaiblir le système immunitaire et diminuer son efficacité contre le cancer.

On sait bien qu'un stress affectif important, qu'une très grande fatigue, qu'une dépression peuvent en réduire l'efficacité et, en rendant l'individu plus fragile, faciliter l'apparition d'infections comme une crise d'herpès génital ou sur les lèvres (« bouton de fièvre »).

Naturellement, ces phénomènes extérieurs vont eux aussi contribuer à affaiblir nos défenses, aussi bien quand il faut se défendre contre les infections que contre le cancer.

Tous ces phénomènes, nous les reverrons bien sûr plus loin dans ce livre.

Nous verrons, à chaque fois, comment ils nous protègent ou non et comment nous pouvons faire pour les rendre éventuellement plus efficaces.

PARTIE II

Tous mes conseils anticancer

CHAPITRE 3

Comment évalue-t-on
le risque de cancer ?

Dans les pages qui vont suivre, je vais essayer de vous expliquer ce qui, dans votre alimentation ou dans vos comportements, est susceptible de diminuer ou, au contraire, d'augmenter votre risque de développer un cancer.

Bien sûr, il s'agit à chaque fois d'un risque statistique et non individuel.

En d'autres termes, ce n'est pas parce que je vais démontrer que faire telle chose réduit de 30 % le risque pour les hommes, par exemple, de se voir diagnostiquer un cancer de la prostate, ce n'est pas parce que vous le ferez que votre risque personnel se réduira automatiquement de 30 % !

En quelque sorte, ce serait un peu trop beau… si un changement de comportement avait un tel impact au niveau individuel. Ce que vous pouvez tirer de cette information, c'est en réalité une tendance de fond. Cela veut dire que c'est bon pour vous de faire telle ou telle chose par rapport à votre risque de cancer de la prostate.

Mais, immédiatement, il y a une question tout à fait légitime que vous allez me poser : par exemple, comment fait-on pour savoir si la vitamine E augmente le risque de cancer de la prostate ou si le fait de travailler la nuit augmente celui du cancer du sein ?

En fait, pour arriver à ces conclusions, nous nous basons sur des études faites chez l'homme (au sens homme ou femme) dont, *grosso modo*, il existe trois types : les études « cas-témoins », les études de « cohorte » et les études « interventionnelles ».

Alors, voyons ensemble, et de façon nécessairement simplifiée, de quoi il s'agit.

Les études cas-témoins

C'est très simple. Supposons que la question posée soit la suivante : est-ce que les fumeurs ont plus de cancers du poumon que les non-fumeurs ?

Pour répondre à cette question, on va prendre, par exemple, 1 000 malades atteints de cancer du poumon. On va ensuite chercher à les comparer à un nombre important d'individus qui, eux, n'ont pas de cancer du poumon.

Les premiers sont les « cas ». Les seconds sont les « témoins ».

Naturellement, on va prendre des témoins qui, le plus possible, sont comparables aux cas, et, pour être encore plus sûr que l'on n'a pas, par malchance, pris des témoins qui auraient pu quand même être un peu différents des « cas » malades, on va prendre beaucoup plus de témoins que de cas : par exemple, pour 1 000 cas, on va prendre 5 000 témoins.

Comment choisit-on les témoins ? On choisit des gens volontaires, ici 5 pour 1 malade, et on va veiller à ce que, par rapport à ce malade, les 5 témoins soient du même sexe, du même âge, du même profil, du même statut socio-économique, du même niveau d'éducation...

On va veiller à bien faire correspondre le plus de paramètres possible entre les 5 000 témoins et les 1 000 cas.

Une fois cela fait, on va interroger l'ensemble des sujets et on va leur poser de nombreuses questions, parmi lesquelles celle qui nous intéresse ici concernant leur tabagisme actuel et passé.

Et là, on va voir si, par hasard, il n'y a pas beaucoup plus de fumeurs chez les malades atteints de cancer du poumon (les cas) que chez les témoins.

Si c'est le cas (et c'est bien le cas), on va pouvoir dire que si vous fumez, vous augmentez votre risque d'avoir un cancer du poumon. Si vous avez pris soin de demander en plus le nombre de cigarettes fumées ou le nombre d'années de tabagisme, vous pouvez même quantifier le risque de cancer du poumon en fonction de l'intensité du tabagisme.

Ce type d'études a des avantages et des inconvénients.

Les avantages sont essentiellement liés au fait que ces études sont relativement faciles à faire, rapides et qu'elles ne sont donc pas trop chères à réaliser.

Les inconvénients, eux, sont potentiellement énormes et c'est pour cela que des trois types d'études, ce sont celles qui sont le moins fiables. Le problème tient bien sûr à la qualité de ce que l'on appelle l'« appariement », c'est-à-dire le choix des témoins qui doivent vraiment ressembler aux cas et, en quelque sorte, constituer des paires (même si ce sont des paires de 5 + 1 ! ! !). Or ce choix, cet appariement, ne peut se faire que sur des critères (âge, sexe, profil...) connus.

Et ces critères sont forcément grossiers, dès que l'on traite du statut socio-économique, du niveau d'éducation, des habitudes culturelles, de l'activité sexuelle ou alimentaire et ainsi de suite...

D'autre part, qui nous certifie que tous ces individus disent vraiment la vérité ? Certains peuvent en fait minimiser leur consommation d'alcool ou de tabac, peuvent augmenter le niveau de leur activité sexuelle ou sportive...

Alors, bien sûr, on se protège autant que possible en multipliant le nombre de témoins par rapport au nombre de cas mais, quand même, l'équilibre est forcément relatif et ne couvrira, au total, qu'une partie de ce qui fait la singularité de chaque être humain, de chaque malade.

Les études de cohorte

Là, c'est déjà plus sérieux.

Ce type d'études consiste à prendre un nombre important (souvent supérieur à 50 000) de volontaires qui vont accepter d'être suivis individuellement pendant un temps très long (souvent plus d'une dizaine d'années).

Avant de commencer l'étude, on va poser des dizaines de questions à ces volontaires et l'on va prendre énormément, le plus possible, d'informations concernant chacun d'entre eux.

Puis, de façon très régulière, on va leur demander de nous décrire leur vie, leurs comportements, leur alimentation, ce qu'ils font ou ne font pas... et cela, de la manière la plus précise possible. Naturellement, toutes ces informations – très vite des millions et des millions de données – sont stockées dans des ordinateurs.

Au bout de l'étude, on va regarder combien de personnes et qui sont les personnes qui ont développé un cancer et quel cancer. Et là, on va demander aux ordinateurs de regarder si ceux qui ont eu un cancer n'ont pas vécu de manière différente de ceux qui n'en ont pas eu, qu'il s'agisse encore une fois d'alimentation, de comportements ou de tout autre chose.

C'est comme cela que l'on va voir que les femmes qui ont eu leur premier enfant très jeunes dans leur vie avaient moins de cancers du sein par exemple... et bien d'autres liens entre telle consommation ou tel comportement et le risque d'avoir tel ou tel cancer.

Bien évidemment, l'avantage de ces études de cohorte est leur précision. Là, pas d'appariement potentiellement biaisé ou hasardeux.

C'est la nature qui agit, simplement.

Mais l'inconvénient, comme vous pouvez l'imaginer, c'est qu'elles sont extrêmement longues, dix ans ou plus, et donc très coûteuses !

C'est pour cela qu'elles sont beaucoup moins nombreuses que les premières, même si, indéniablement, elles sont beaucoup plus précises et pertinentes.

Les études d'intervention

Là, c'est le top des études.

Elles consistent, comme les précédentes, à prendre un très large groupe de volontaires et à les répartir en au moins deux groupes en les tirant au sort. Aux volontaires d'un des groupes on va donner le produit dont on recherche l'effet sur la prévention du cancer.

Une vitamine par exemple. Et aux volontaires de l'autre groupe, on va donner ce que l'on appelle un placebo. C'est-à-dire un comprimé qui ressemble au vrai produit mais qui, en réalité, ne contient rien.

On peut, bien sûr, répartir tout le monde en davantage de groupes et tester alors, toujours par rapport au groupe qui reçoit le placebo, c'est-à-dire rien, l'effet soit de différentes doses du fameux produit à tester potentiellement préventif, soit l'effet de plusieurs produits différents.

Bien sûr, pour que ce que l'on observe ait un sens, il faut impérativement que les individus de tous les groupes se ressemblent fortement. Pas question de mettre plus de femmes, de sujets âgés, d'ouvriers… dans un groupe par rapport aux autres groupes.

Donc, là aussi, il va falloir faire une sorte d'appariement, comme dans les études cas-témoins, afin d'être sûr que, toutes choses égales par ailleurs, la seule chose qui sera *in fine* différente d'un groupe à l'autre sera uniquement la prise du produit à tester.

Au bout d'un certain temps, on va comptabiliser le nombre et le type de cancers que chaque groupe va développer. S'il y a nettement moins de cancers dans le groupe qui a pris le produit que dans celui qui a pris le placebo, cela voudra dire que ce produit induit une certaine prévention du cancer ou d'un type de cancer.

Bien sûr, ces études sont les plus compliquées, les plus chères et il arrive parfois qu'elles aboutissent à l'inverse de l'effet attendu comme on le verra plus loin…

Voilà, vous savez tout ce qu'il faut savoir pour comprendre ce que je vais vous raconter à présent.

Vous pourrez, je l'espère, vous faire vous-même une idée de la qualité, de la pertinence d'une information que je vais vous rapporter ici, en sachant à partir de quel type d'études cette information a été rapportée, en regardant la taille des groupes, la durée des études...

Je vous laisse à présent découvrir tout cela et le regarder avec un esprit critique, en n'hésitant jamais à faire appel à votre bon sens.

CHAPITRE 4

Attention danger

Vitamine A et bêta-carotène, un risque sérieux sous certaines formes

La vitamine A est, pour moi, l'exemple même de la vitamine dangereuse vis-à-vis du cancer. Sa consommation excessive, sous une forme ou sous une autre chez le fumeur ou l'ex-fumeur est une véritable catastrophe.

Mais, commençons par le commencement.

Une vitamine utile à bien des égards

La vitamine A, comme la vitamine E par exemple, est une vitamine liposoluble. Elle est absorbée dans le tube digestif en même temps que les graisses.

La vitamine A est présente dans de nombreux produits d'origine animale comme le foie, les abats, les huiles de poisson, les œufs et les laitages. Elle est aussi présente dans certains végétaux sous forme de bêta-carotène, comme les abricots, les haricots verts, les carottes et les épinards. Comme toutes les vitamines, elle est indispensable à la vie et, en cas de carence, des troubles graves peuvent apparaître comme, par exemple, une cécité surtout nocturne, une anémie ou des problèmes rénaux.

Tableau 1. Les sources de vitamine A

Vitamine A/rétinol	µg/100 g
Huile de foie de morue	30 000
Foie de volaille cuit	14 500
Foie de veau cuit	10 500
Foie gras de canard	5 400
Anguille cuite	1 140
Beurre demi-sel	800
Jaune d'œuf cru	448
Parmesan	345
Graisse d'oie	144
Petit suisse au lait entier nature	89

Source : https://pro.anses.fr/TableCIQUAL/index.htm

Tableau 2. Les sources de bêta-carotène

Bêta-carotène	µg/100 g
Jus de carotte	8 710
Carotte crue	7 260
Persil frais	5 360
Laitue crue	5 230
Abricot frais	1 630
Mangue	1 220
Tomate crue	840
Poivron	834
Graine de cumin	762
Beurre demi-sel	370

Source : https://pro.anses.fr/TableCIQUAL/index.htm

Les compléments alimentaires en question

Il n'est donc pas du tout question de dire ici qu'il faut supprimer tout apport de vitamine A, de rétinol ou de bêta-carotène !

Non. Ce qu'il nous faut envisager dans ces pages, c'est le bénéfice ou au contraire le risque en matière de cancer du fait d'une supplémentation, d'un apport supplémentaire ou, si vous voulez, d'une consommation excessive de cette vitamine ou de ses dérivés. Et cela est une vraie question, car cette vitamine ou le bêta-carotène se trouvent très souvent cachés dans des gélules de compléments alimentaires ou bien encore ils sont ajoutés dans des préparations industrielles.

Des études au résultat trompeur

Cette vitamine est l'exemple typique qui démontre que ce qui est vrai chez l'animal de laboratoire ou lors d'expériences sur des cellules en culture n'est pas forcément vrai chez l'homme. Et c'est parfois même tout à l'opposé.

En effet, depuis une trentaine d'années, de très nombreuses expériences de laboratoire avaient indiqué que la vitamine A/bêta-carotène était capable d'arrêter la prolifération des cellules cancéreuses et même, plus génial encore, de « renverser » leur caractéristique maligne, c'est-à-dire que, sous l'effet de cette vitamine, les cellules cancéreuses redeviendraient normales !

Vous imaginez l'effet que cette information a provoqué dans le monde médical !

À cette époque, moi comme la plupart des cancérologues dans le monde, nous avons commencé à espérer pouvoir prévenir le cancer par quelques milligrammes de vitamine A quotidiens, ce qui aboutirait peut-être un jour à une véritable éradication de cette terrible maladie.

Je dois dire que le réveil fut brutal et les désillusions considérables.

D'autres résultats très inquiétants

Pour vous convaincre de la dangerosité de cette vitamine, au moins chez le fumeur, je vais vous parler de quelques études, parmi les plus importantes et les plus significatives. Prenons par exemple, l'étude VITAL (« Vitamin and Lifestyle Cohort »). Elle a examiné le risque de cancer du poumon chez 77 126 sujets de l'État de Washington en fonction de leur consommation de suppléments alimentaires contenant de la vitamine A, du bêta-carotène, du rétinol ou de la lutéine et du lycopène au cours des dix ans précédant leur entrée dans l'étude.

La conclusion est sans appel : fumeur ou pas, homme ou femme, ceux qui avaient consommé de la vitamine A/bêta-carotène en excès avaient une augmentation très nette du risque de cancer du poumon.

Dans cette autre étude publiée en 2004, le docteur Bjelakovic et ses collègues ont repris la quinzaine d'études publiées dans la littérature scientifique qui avaient comparé la prise de complément alimentaire contenant de la vitamine A ou du bêta-carotène ainsi que d'autres antioxydants par rapport à la prise de placebo. Ils ont observé, en étudiant au total le cas de 170 525 volontaires, que la prise de ces produits augmentait la mortalité de ceux qui les prenaient dans une proportion de 2 à 10 %. Si l'on regarde plus précisément les résultats des études portant uniquement sur bêta-carotène/vitamine A, ce risque de mourir prématurément est encore plus augmenté, passant de 9 à 23 % d'augmentation.

Chez les fumeurs

Une autre étude scandinave appelée « The Alpha-Tocopherol, Beta-Carotène Cancer prevention study group » est encore plus alarmante. Il s'agissait de répartir en quatre groupes identiques, 29 133 hommes fumeurs, âgés de 50 à 69 ans vivant dans le sud de la Finlande et de donner à chaque groupe soit de l'alpha-tocophérol, soit du bêta-carotène, soit la combinaison des deux, soit un placebo. Résultats sans appel : les hommes fumeurs qui prenaient du bêta-carotène avaient 18 % en moyenne (en fait de 3 à 36 %) de plus de cancers du poumon. De même, au total, la mortalité globale était de 8 % supérieure, toujours dans ce même groupe prenant du bêta-carotène.

Voilà ! Des chiffres qui parlent d'eux-mêmes et qui font, je dois dire, un peu froid dans le dos.

Dans le même esprit, je ne peux passer à un autre chapitre sans vous citer deux autres études, plus limitées certes, mais très intéressantes.

En 2007, étaient publiés les résultats d'une très belle étude dans laquelle 540 patients atteints de cancer ORL ont été tirés au sort pour recevoir soit un placebo, soit des comprimés contenant un mélange d'alpha-tocophérol et de bêta-carotène, et ce au cours de leur radiothérapie.

La conclusion de ces recherches était que les patients fumeurs qui prenaient ce mélange d'antioxydants censés être bénéfiques, avaient 3,4 fois plus de risques de mourir de leur cancer et 2,4 fois plus de risques de récidives que ceux qui ne fumaient pas et qui prenaient le placebo.

Un risque de cancer accru

L'autre étude était également publiée en 2007. Elle consistait à regarder si les individus ayant un taux élevé de bêta-carotène dans le sang avaient plus de certains cancers.

Et là encore, le résultat allait dans le même sens. Les hommes ayant des taux sanguins élevés de bêta-carotène avaient 1,6 fois plus de risques de développer un cancer de la prostate, mais pire, ce risque était multiplié par 3,1 pour ce qui concerne la forme la plus agressive et la plus mortelle de cancer de la prostate.

Je crois qu'il est clair à présent, pour vous comme pour moi, que toutes les vitamines ne sont pas forcément bonnes, en tout cas prises en supplément et là, pour la vitamine A, il me semble que la prudence consiste à ne pas le recommander du tout, en général chez les hommes, et en particulier chez les fumeurs.

La vitamine E et le risque de cancer

La vitamine E, voilà encore un élément qui, vis-à-vis du cancer pose problème et qui, dans certaines circonstances, peut être particulièrement dangereux.

Avant de voir cela, résumons quelques informations à son propos.

Un antioxydant reconnu

La vitamine E, que l'on appelle aussi alpha-tocophérol, est, comme la vitamine D et la vitamine A, une vitamine liposoluble, c'est-à-dire soluble dans l'huile et le gras mais pas dans l'eau.

On la trouve essentiellement dans les huiles, la margarine, le beurre, les amandes, noix, noisettes, cacahuètes, l'huile de poisson, le germe de blé, les œufs.

C'est un très puissant antioxydant mais, une fois de plus, cela ne signifie pas que parce qu'elle serait un antioxydant, elle serait nécessairement efficace dans la prévention du cancer.

Tableau 3. Les sources de vitamine E

Vitamine E	(mg/100 g)
Huile de tournesol	75
Huile de colza	42
Huile de foie de morue	30
Mayonnaise à l'huile de tournesol	27
Huile d'olive	25

Vitamine E	(mg/100 g)
Germe de blé	14
Tarama	9
Noisette	5
Jaune d'œuf cuit	5
Menthe fraîche	5

Source : https://pro.anses.fr/TableCIQUAL/index.htm

Un anticancéreux en trompe-l'œil

Quand on observe l'action de cette vitamine sur les cellules cancéreuses en culture, on a l'impression que c'est un superagent anticancéreux.

En effet, de très nombreuses expériences, au laboratoire, indiquent qu'elle est capable de bloquer la prolifération des cellules malignes. Elle est même capable, toujours au laboratoire, de retransformer en cellules normales les cellules devenues cancéreuses, un peu comme on l'a vu pour la vitamine A.

Elle est douée de propriétés protectrices qui réparent les dégâts que peuvent causer les radicaux libres sur les lipides dont sont constituées les membranes de nos cellules.

Tout cela a longtemps fait penser que la vitamine E pouvait être un candidat magnifique pour être utilisée chez l'homme dans la prévention de certains cancers. Mais, comme avec la vitamine A et ses dérivés, il a bien fallu rapidement admettre, au fur et à mesure que les résultats tombaient dans la presse médicale, que c'était une erreur et que, bien au contraire, la vitamine E était particulièrement dangereuse.

Et ce, notamment pour le cancer de la prostate.

Une vitamine dont il faut se méfier

En effet, après de nombreuses discussions sur des résultats relativement contradictoires, la fameuse étude SELECT, en 2011 est venue donner le coup de grâce.

Dans cette étude, 34 887 hommes (âgés de plus de 50 ans pour les Noirs, et de plus de 55 ans pour les Blancs), volontaires, bien portants, ont été répartis en quatre groupes : 8 752 ont pris du sélénium, 8 737 de la vitamine E, 8 702 les deux et 8 696 du placebo. Tous ces volontaires ont pris leurs comprimés pendant quatre ans de 2001 à 2004 et les résultats ont été analysés après un long suivi, en juillet 2011.

Pendant cette période, 529 de ces volontaires ont développé un cancer de la prostate dans le groupe recevant le placebo, à peine un peu plus dans les deux groupes recevant du sélénium (575 prenant du sélénium seul et 555 prenant du sélénium *et* de la vitamine E), mais ce chiffre est apparu nettement plus élevé dans le groupe qui avait pris de la vitamine E seule, passant à 620 cas !

Cette augmentation de l'ordre de 15 à 20 % est vraiment considérable et bien trop importante pour être due au hasard. Mais ce n'est malheureusement probablement pas tout !

Une augmentation
du risque cancéreux confirmée

Une autre étude très intéressante, l'étude américaine appelée VITAL a suivi 77 721 individus des deux sexes, âgés de 50 à 76 ans, pendant plus de dix ans et a regardé le lien existant entre supplément en vitamine E et risque de développer un cancer du poumon. Naturellement, les chercheurs ont pris garde de tenir compte des autres facteurs de risque comme le tabagisme.

Il n'en demeure pas moins que, au total, les résultats sont là aussi sans appel : l'apport de vitamine E augmente de 5 % le risque

57

de se voir diagnostiquer un cancer du poumon, ce risque passant même à 11 % pour les fumeurs.

Pire encore : en 2005, dans le *Lancet*, une équipe publiait ses résultats concernant la mortalité globale, tous cancers confondus, en liaison avec la prise de vitamine E. Celle-ci augmente la mortalité par cancer de l'ordre de 6 à 10 %.

Alors, ici comme avec la vitamine A et ses dérivés, surtout, soyez prudents et, sauf à avoir un net déficit dosé dans le sang, évitez de prendre des comprimés contenant de la vitamine E ou d'abuser des aliments qui en sont riches. Mais faites attention, ces vitamines sont souvent cachées dans les comprimés que vous achetez.

La vitamine D : pas pour tout le monde

Comme souvent, et je vous l'ai, je crois, très clairement expliqué au début de ce livre, la notion qu'un facteur puisse être « bon » ou « mauvais » vis-à-vis du cancer est une notion relative. Rappelez-vous, il n'y a pas de régime universel contre le cancer. Un aliment, un nutriment ou une vitamine peuvent être bons pour certaines personnes et mauvais pour d'autres.

À part les top 7 qui, eux, sont généralement toujours bénéfiques quelle que soit la personne, la plupart des autres aliments n'agissent pas de la même manière chez tout le monde. Il en est ainsi de la vitamine D.

Et, dans le cas de cette vitamine, c'est même pire car, comme on va le voir, elle est bonne dans un cas et mauvaise, et non neutre, dans un autre.

Mais d'abord, voyons ce qu'est la vitamine D.

Une vitamine indispensable

C'est une vitamine liposoluble, c'est-à-dire insoluble dans l'eau.

Elle existe dans les produits laitiers, les poissons d'autant plus qu'ils sont gras, certains végétaux, comme les champignons, et les jaunes d'œufs.

À part cet apport extérieur, une grande partie de la vitamine D présente dans notre corps est en fait fabriquée par les cellules de notre peau sous l'effet de l'exposition au soleil.

Ainsi, comme je l'ai expliqué dans mon précédent livre sur le régime anticancer, il existe un équilibre naturel entre les apports extérieurs et notamment ceux provenant des laitages et le degré d'exposition au soleil au sein d'une population donnée.

Plus cette population sera exposée au soleil – comme c'est le cas dans les pays du Sud dans notre hémisphère –, moins cette population aura besoin de digérer le lait et les laitages pour assurer ses besoins en vitamine D. C'est ainsi que, petit à petit, de génération en génération, les habitants de ces pays ensoleillés vont génétiquement cesser de fabriquer les enzymes nécessaires dans leur tube digestif pour digérer les produits laitiers.

Cette vitamine est indispensable à notre vie, car elle contrôle ce que devient le calcium dans notre corps, calcium à l'origine notamment de la solidité de nos os. Sans vitamine D, le calcium ne se fixe pas sur les os et ceux-ci deviennent fragiles et cassent. Cette carence poussée à l'extrême est à l'origine d'une maladie que l'on appelle le rachitisme.

C'est la vitamine D qui aide à l'absorption du calcium et gère son excrétion, donc ce qu'il reste de calcium pour se fixer sur nos os.

Comme on le comprend aisément, il existe un lien très puissant entre vitamine D et calcium et c'est pourquoi, j'ai décidé de vous parler de ces deux produits dans le même chapitre.

Tableau 4. Les sources de vitamine D

Vitamine D	(µg/100 g)
Huile de foie de morue	250
Thon, sardine	7
Jaune d'œuf cru	3,25
Foie de veau cuit	2,5
Emmental	1,81
Beurre demi-sel	1,13
Rognon de bœuf cuit	1,11
Lait concentré non sucré entier	1,01
Camembert au lait cru	0,76
Jambon cuit	0,62

Source: https://pro.anses.fr/TableCIQUAL/index.htm

Tableau 5. Les sources de calcium

Calcium	mg/100 g
Thym	1 260
Parmesan	1 200
Cannelle	1 080
Emmental	971
Cheddar	720
Mozzarella	495
Poivre noir	430
Chocolat blanc	262
Amande	248
Yaourt au lait entier	167

Source: https://pro.anses.fr/TableCIQUAL/index.htm

Des bienfaits variables

Alors, que savons-nous sur la vitamine D, le calcium et le cancer ?

Pour ceux qui sont pressés de connaître la réponse et n'ont pas envie d'entendre parler des études qui ont été publiées sur ce sujet, sachez que cette réponse n'est pas très simple.

La vitamine D semble protectrice dans le cancer du sein et, quand elle est associée au calcium, dans le cancer du côlon.

Oui, mais, elle est au contraire plutôt mauvaise, chez l'homme concernant le risque de cancer de la prostate.

Légèrement préventive
du cancer du sein

Voyons les bonnes choses d'abord et commençons par le cancer du sein.

De très nombreuses études ont été publiées sur le sujet. Pour ne pas alourdir ce chapitre, je ne vais pas les passer toutes en revue, mais plutôt vous en délivrer les conclusions essentielles.

En fait, si l'on regroupe la plupart de ces études, ce qui totalise plus de 6 000 cas provenant d'une dizaine d'études intéressant le cancer du sein, on trouve que l'existence d'un taux élevé de vitamine D dans le sang réduit le risque d'environ 10 %. Cette réduction n'est pas très élevée, il faut le reconnaître, ce d'autant que, dans la plupart de ces études, le taux de vitamine D n'a été mesuré qu'une seule fois par patiente.

Vous allez me dire et alors ?

En fait, si cela n'avait pas été un dosage de vitamine D, vous auriez bien sûr parfaitement raison, mais comme je vous l'ai dit au début de ce chapitre, la vitamine D est fabriquée en grande partie par la peau sous l'effet de l'exposition au soleil. Or cette exposition varie considérablement selon les saisons. La plupart d'entre nous n'avons pas les mêmes taux de vitamine D dans le sang en hiver où notre peau est couverte et où il y a peu de soleil et en été où nous sommes volontiers plus découverts et où il y a davantage de soleil et donc d'exposition.

Quoi qu'il en soit, 10 % de risque minoré c'est de mon point de vue toujours bon à prendre !

Une action très favorable pour le cancer du côlon

Cela m'amène au deuxième cancer où la vitamine D joue un rôle préventif et, là, ce rôle est éminemment plus puissant. C'est le cancer du côlon et la tumeur encore bénigne qui précède généralement ce cancer : le polype intestinal.

Là, les données sont beaucoup plus nettes.

Déjà en 1980, il y a près de trente-cinq ans, une équipe avait constaté que la mortalité par cancer du côlon augmentait dans les pays au fur et à mesure qu'on allait vers le nord et tentait d'expliquer ce phénomène par la diminution de l'exposition au soleil et donc à la baisse du taux de vitamine D.

De la même manière, une autre équipe en 1999 avait montré l'extrême baisse de la mortalité par cancer du côlon dans les populations dont l'alimentation était particulièrement riche en poissons frais, coquillages, crustacés et calcium en étudiant les habitants des îles Féroé.

À partir de là, de nombreuses études se sont penchées sur ce sujet.

Encore une fois, nous n'allons pas les passer toutes en revue.

Mais laissez-moi vous dire que la conclusion de ces études est que le calcium et la vitamine D réduisent le risque de cancer du côlon et même le risque de développer des polypes du côlon qui, comme on le sait, comportent un risque majeur de se transformer en vrai cancer (ils sont considérés comme des états précancéreux).

Selon que l'on est homme ou femme

Seulement voilà, cette diminution du risque de cancer n'est vraie que chez la femme et pas chez l'homme, et si la femme est déjà ménopausée, à condition qu'elle n'utilise pas de traitement hormonal substitutif à base d'œstrogènes.

Par contre, dans cette population féminine, la vitamine D réduit le risque de cancer du côlon de 15 à 20 %, ce qui est, à mon avis très intéressant.

D'ailleurs, cela a été très nettement suggéré dans une étude publiée en 2008 – où des femmes ont reçu soit de la vitamine D3 (400 UI par jour) et du calcium (1 000 mg par jour), soit des placebos –, qui a montré une baisse de près de 30 % du risque chez les femmes recevant quotidiennement de la vitamine D et du calcium. Mais, je le souligne, ces bons résultats ne s'observent qu'à la seule condition qu'il n'y ait pas de prise concomitante d'œstrogènes, comme c'est le cas encore malheureusement pour beaucoup de femmes ménopausées aujourd'hui.

Cela, c'est pour les bons côtés.

Des résultats inquiétants chez l'homme

Pour l'autre aspect, malheureusement négatif associé à la vitamine D et au cancer, il nous faut parler un peu du cancer de la prostate. Encore une fois, de très nombreuses recherches ont été effectuées sur ce sujet.

Mais, très récemment, en 2014, une équipe dirigée par le docteur Xu, a repris tout ce travail et en a fait une analyse globale.

Lui et ses collaborateurs ont ainsi repris les 21 études portant sur ce sujet, totalisant près de 12 000 patients atteints de cancer de la prostate et comparés à près de 14 000 sujets témoins sains et sont arrivés à la conclusion qu'un taux élevé de vitamine D dans le sang augmentait en moyenne le risque de développer un cancer de la prostate d'environ 20 %, ce qui, comme on peut l'imaginer pour un cancer déjà aussi fréquent, est énorme. Ce risque d'ailleurs était plus élevé encore chez les patients européens par rapport aux patients américains.

Alors, à bon entendeur salut !

Conclusion : vitamine D, oui chez la femme, mais non chez l'homme.

Comme vous le voyez, ici encore, tout est fait pour vous démontrer ce que j'écris depuis des années : il n'y a pas, il ne peut y avoir de régime anticancer universel.

Médicaments antihypertenseurs et risque de cancer

Certains médicaments antihypertenseurs pourraient augmenter le risque de cancer du sein chez la femme ménopausée. En 2013, une très belle étude réalisée dans l'État de Washington aux États-Unis est arrivée à cette terrifiante conclusion. De quoi s'agit-il ?

Dans cet État du nord-ouest des États-Unis, des chercheurs ont regardé si le fait de prendre pendant plus de dix ans des médicaments prescrits pour diminuer la tension artérielle, pouvait augmenter le risque de se voir diagnostiquer un cancer du sein.

Chez des femmes ménopausées

Pour cela, ils ont comparé deux groupes de femmes âgées de 55 à 74 ans, donc ménopausées.

Un groupe de 1 907 femmes ayant eu un cancer du sein et un groupe similaire en tout point de 856 femmes indemnes de ce cancer, qui sert ainsi de groupe contrôle.

La conclusion est sans appel.

Les femmes de cette tranche d'âge qui ont pris pendant au moins dix ans des médicaments contre l'hypertension artérielle de la classe des « inhibiteurs des canaux calciques » voyaient leurs risques de développer un cancer du sein multiplié par 2,5 fois. Un chiffre énorme sachant que près d'une femme sur dix va déjà développer cette maladie dans le temps de sa vie !

Une catégorie d'hypertenseurs à risque

Heureusement, cette augmentation du risque ne concernait que cette catégorie de médicaments de la tension parmi lesquels on trouve l'amlodipine, le diltiazem, la flodipine, l'izradipine, la nicardipine, la nifedipine et le verapranil.

Les autres antihypertenseurs comme les diurétiques, les bêta-bloquants et les inhibiteurs de l'angiotensine II, ne produisaient, eux, aucun effet particulier quant au risque de cancer du sein.

Viagra® et risque de mélanome malin

Le 7 avril 2014, coup de tonnerre dans les milieux scientifiques. Le professeur Abrar Qureshi, chef du service de dermatologie à la faculté de médecine Warren Alpert de la fameuse Brown University, publie un article dans l'une des meilleures revues scientifiques américaines. Sur la base d'une étude très sérieuse, il y affirme que la prise de sildafenil, c'est-à-dire de Viagra®, augmente de presque 100 % le risque de développer un mélanome malin, l'un des cancers les plus redoutables qui soient.

Les habitudes de vie à la loupe
Il a étudié en fait une cohorte d'hommes volontaires appartenant au milieu médical, appelée « Health's professionnal follow-up study ».
Celle-ci comportait 25 848 participants indemnes de cancer au départ et qui ont été interrogés régulièrement sur leurs habitudes de vie et notamment sur leur prise éventuelle de stimulants de l'érection comme le Viagra®.
Au total, 6 % des hommes ont déclaré prendre du Viagra®.
Régulièrement, tout au long des dix années de suivi (2000-2010), on a répertorié les cas de cancer de la peau et notamment de mélanomes malins diagnostiqués chez ces volontaires.
Au long de ces dix années de suivi, 142 cas de mélanomes malins sont survenus.

Les auteurs de cette étude ont alors cherché à voir s'il y avait un lien entre les deux.
Et là, les résultats obtenus sont indiscutables et assez inquiétants. La prise de Viagra® a multiplié par presque 2 le risque de développer ce cancer redoutable de la peau.
Bien sûr, les chercheurs ont aussi regardé si c'était bien la prise de ce médicament qui était associée au risque de développer ce cancer et non la raison de la prise médicamenteuse, c'est-à-dire l'existence de troubles de l'érection. Aucun lien entre troubles de l'érection et risque de mélanome n'a pu être observé. C'était donc bien le médicament qui était responsable.

Pas de panique, mais la prudence est de mise
Alors, vous allez certainement me demander comment cela est possible et ce qu'il faut en tirer comme conclusion dans la vie quotidienne.
Pour ce qui est du mécanisme, on sait depuis longtemps que ce médicament agit sur certains gènes qui contrôlent la prolifération cellulaire, justement ceux qui sont très souvent en cause dans l'apparition et la progression de ce cancer. Il s'agit notamment d'un gène appelé BRAF que les cancérologues connaissent

bien, car il est la cible d'un nouveau médicament anticancéreux très efficace prescrit justement pour le mélanome.

Bon, très bien. Les faits épidémiologiques et les chiffres montrent, sans aucun doute permis, que la prise de Viagra® augmente le risque de mélanome malin. Nous avons donc l'explication scientifique possiblement en cause.

Que faut-il faire pour autant ?

En réalité, comme je le dis souvent dans ce livre, ne sont considérées comme « vraies », au sens scientifique du terme, que les données d'une expérience qui peut être reproduite. En d'autres termes, attendons qu'une deuxième étude vienne confirmer les résultats de celle-ci avant de dire que le Viagra®, du point de vue du cancer, est dangereux.

Malgré tout, la prudence voudrait que l'on conseille aux hommes particulièrement à risques de mélanome (peaux très claires, cheveux roux ou blonds, avec yeux bleus ou verts, avec des antécédents familiaux de mélanome) de s'abstenir d'en prendre en attendant que tout cela soit confirmé ou infirmé.

Coups de soleil et mélanome : une rencontre à risque

Un article publié cette année dans la prestigieuse revue *Journal of Cancer Epidemiology, Biomarkers and Prevention*, a montré que les adultes qui ont eu au moins 5 coups de soleil graves (avec des bulles sur la peau) entre 15 et 20 ans avaient 68 % de plus de cancers de la peau de type baso- ou spino-cellulaire. Beaucoup plus grave encore, on a observé une augmentation de 80 % de leur risque de développer un mélanome malin, l'un des cancers les plus graves.

Imaginez-vous, il entraîne la mort de 50 % des patients en dix ans, s'il mesure à peine 4 mm d'épaisseur, une taille où, dans d'autres types de cancers, nous serions plutôt proches des 100 % de guérison.

La recherche a porté sur 108 916 sujets blancs, toutes infirmières volontaires pour l'étude, enrôlées entre 25 à 42 ans, que l'on a interrogées à propos de leurs antécédents et de leur santé actuelle, tous les deux ans pendant environ vingt ans. Au terme de cette étude, 6 955 d'entre elles ont eu un carcinome baso-cellulaire, 880 un carcinome spino-cellulaire, deux cancers relativement peu graves, et 779 ont été diagnostiquées d'un mélanome malin.

Clairement, celles d'entre elles qui avaient eu au moins 5 coups de soleil graves entre 15 et 20 ans, soit 10 %

seulement de toutes ces infirmières, étaient celles qui avaient développé ce cancer redoutable.

Alors, les messages d'alerte et de mise en garde sont vraiment fondés, faites réellement attention avec le soleil !

Attention aux cabines de bronzage

On aurait pu penser, et d'ailleurs c'est un peu ce que disent de façon discrète les propriétaires de centres de cabines de bronzage, que les nouvelles technologies de lampes à bronzer seraient moins cancérigènes que celles que l'on trouvait dans les vieilles cabines à UV et dont il avait été parfaitement montré que l'usage augmentait significativement le risque de développer un mélanome malin, l'un des cancers les plus graves qui soient.

Ces nouvelles lampes qui émettent de plus longues longueurs d'onde dans les UVA (entre 335 et 400 nanomètres) étaient censées être moins dangereuses. Eh bien, il n'en est rien !

Une étude d'envergure

Dans une énorme étude publiée en 2014 dans le *Journal of American Academy of Dermatology*, des chercheurs ont repris toutes les études publiées sur le sujet, soit 31 études totalisant l'analyse de 14 956 cas de mélanomes comparés à 333 106 témoins indemnes de ce cancer, et regardé s'il y avait un lien entre l'usage de cabines à UV fabriquées postérieurement à l'an 2000 et le risque de mélanome.

Un risque augmenté si l'on est jeune

En fait, les conclusions de cette énorme étude internationale, indiscutables, sont assez dramatiques. L'usage de ces cabines à bronzer, pourtant modernes, augmente en moyenne le risque de mélanome de 16 %. C'est déjà pas mal ! Mais si cet usage est fait avant l'âge de 25 ans, cette augmentation du risque passe alors à 35 % contre seulement 11 % chez ceux et celles qui ont commencé à se faire bronzer artificiellement après 25 ans. Un tiers de risque en plus ! C'est également d'un tiers (34 %) que le risque de développer un mélanome augmente chez ceux qui ont fait plus de dix séances de bronzage artificiel.

Alors, surtout les jeunes femmes, je vous en supplie, évitez ces cabines qui sont vraiment dangereuses. N'oubliez pas que le mélanome est l'un des cancers les plus agressifs. Rendez-vous compte : un mélanome d'à peine 4 millimètres (et non centimètres comme pour tous les autres cancers !) va entraîner le décès de près de 50 % de malades, un sur deux, en dix ans...

Grains de beauté et cancer du sein

On savait déjà qu'un grand nombre de grains de beauté sur le corps augmente de façon importante le risque de développer un mélanome malin, l'un des cancers les plus agressifs. Nous venons de le voir. D'où la nécessité de se faire surveiller régulièrement par un dermatologue quand on compte un grand nombre de grains de beauté sur sa peau. Mais, récemment, deux études, l'une française et l'autre américaine, sont arrivées en même temps à une conclusion inquiétante pour les femmes qui, justement, ont beaucoup de grains de beauté : la présence de ces nombreux nævus augmente en plus le risque de développer un cancer du sein !

Nombre de grains de beauté et risque de cancer du sein sont liés

Dans l'étude française, 89 000 femmes âgées de 40 à 65 ans au moment où elles se sont portées volontaires pour être suivies en 1990, ont été interrogées à l'époque pour savoir combien de grains de beauté elles présentaient. Celles qui en avaient beaucoup, ont eu un risque de développer un cancer du sein augmenté de 13 %.

Dans l'autre étude, américaine, 74 523 infirmières ont été suivies pendant vingt-quatre ans après avoir, elles aussi, indiqué combien de grains de beauté elles avaient sur le corps. Celles qui en présentaient 15 ou plus ont eu, finalement, 35 % de plus de cancers du sein par rapport à celles qui déclaraient n'en avoir aucun.

En effet, après les vingt-quatre ans de suivi, les femmes n'ayant aucun nævus avaient au total 8 % de risque de développer un cancer du sein alors que celles qui en avaient 15 ou plus avaient un risque global de 11 %.

Ces chiffres, reproduits sur deux études indépendantes, ne peuvent être mis en cause en ce qui concerne leur validité.

Un facteur hormonal expliqué

Il n'en reste pas moins qu'il faut ensuite essayer d'expliquer le mécanisme biologique qui peut conduire à cette augmentation du risque de cancer du sein chez les femmes qui présentent beaucoup de grains de beauté sur la peau !

La seule explication communément admise par les scientifiques est liée au fait que l'on sait que les femmes dont la peau est couverte de nævus ont généralement des taux sanguins d'hormones féminines particulièrement élevés.

Par exemple, il a été démontré que les femmes qui ont 6 grains de beauté ou plus sur leur corps ont un taux d'œstradiol libre (l'hormone féminine par excellence) augmenté de 45 % et un taux de testostérone libre (une autre hormone, masculine celle-là) de 47 %

plus élevé que ceux des femmes qui ont une peau indemne de tout nævus. On sait par ailleurs que les grains de beauté se développent souvent au cours de la grossesse, un autre événement bouleversant de l'équilibre hormonal chez une femme.

Ainsi, on peut penser que les femmes qui ont eu beaucoup de grains de beauté montrent ainsi qu'elles sont très riches en hormones sexuelles, les nævus devenant une sorte de marqueur de leur taux élevé de ces hormones qui, comme on le sait, sont des facteurs cancérigènes pour les cellules mammaires et dont la présence, en grande quantité, augmente nettement le risque de cancer du sein.

Oméga-3 : danger !

Il est ainsi des mythes qui naissent sans que l'on sache très bien comment et qui, jour après jour, finissent par donner l'impression qu'ils ne sont pas un mythe mais une réalité. Une vérité !

Quelque chose de prouvé, scientifiquement.

Et il en est ainsi du rôle prétendument préventif sur le cancer des oméga-3, ces fameux acides gras poly-insaturés essentiels.

Qui d'entre vous n'a pas lu dans la presse au cours de ces dix dernières années que la consommation importante d'oméga-3, soit sous forme de complément alimentaire (en gélules ou en comprimés), soit en privilégiant une alimentation riche en poissons gras (comme le saumon) ou en huile de poisson, était particulièrement bénéfique pour la santé et diminuait le risque de développer un cancer ?

Mais d'où vient cette affirmation ?

Une vérité à réévaluer

Sommes-nous sûrs et certains que les oméga-3 sont anticancer ?

Et si la réponse était oui, le seraient-ils pour tous les individus ? Pour tous les cancers ?

Et si tout cela n'était que balivernes et qu'au contraire les oméga-3 augmentaient le risque de cancer ? Ou en tout cas le risque de certains cancers.

Si c'était l'inverse qui était vrai, ne seriez-vous pas légitimement inquiets d'en avoir autant consommé les yeux fermés sans avoir cherché à savoir ?

Mauvaise nouvelle, pour ceux d'entre vous, les hommes en tout cas, qui y avaient cru, il n'y a plus aucun doute aujourd'hui : consommer en quantité de l'oméga-3 est très dangereux en ce qui concerne le risque du cancer de la prostate.

Bien sûr, j'imagine… vous doutez de moi et de ce que je viens d'affirmer ? D'accord, je peux comprendre que beaucoup d'entre vous soient en train de tomber de haut… Alors, laissez-moi tout simplement, comme je me suis engagé à le faire dans ce livre, partager avec vous toutes les données scientifiques sur le sujet, les commenter avec le plus d'objectivité possible et vous laisser, à la fin, vous faire vous-même votre opinion sur la question.

Les oméga-3 sont-ils vraiment dangereux ?

La réponse est oui, en tout cas, comme je viens de vous le dire chez l'homme.

En effet, au moins deux études importantes ont été publiées qui arrivent à la même conclusion : la consommation importante d'oméga-3 augmente considérablement le risque de développer un cancer de la prostate. Et ce n'est pas tout : cette augmentation est encore plus importante pour ce qui est des cancers les plus agressifs de la prostate. Ceux qui tuent !

Mais, avant de voir plus en détail ce terrible phénomène, je vous rappelle que ce cancer est le cancer le plus fréquent chez l'homme et qu'il tue encore, rien qu'en France, un homme toutes les heures, 24 heures sur 24, sept jours sur sept.

Est-ce que vraiment, à part la prostate, les oméga-3 ont une action positive sur les cancers en général ? Et là, malheureusement, la réponse est probablement non.

Une grande équipe américaine dirigée par le docteur MacLean a rapporté dans le célèbre journal américain de médecine *JAMA*, en 2006, une analyse très approfondie de tous les articles publiés sur ce sujet entre 1966 et 2005, soit près de quarante ans de recherches !

Au total, ils ont ainsi passé en revue 1 264 articles dont 38 ont été considérés comme valables, portant sur 20 cohortes, provenant de sept pays différents et portant sur 11 types de cancers différents. Pas mal quand même !

Plutôt que de vous donner précisément les éléments de cette magnifique revue de détail de toute la science sur le sujet, je vais me contenter de vous citer la dernière phase de leur conclusion : « *Dietary supplementation with oméga-3 fatty acids is unlikely to prevent cancer* », ce qui veut dire « les oméga-3 pris en compléments alimentaires ont peu de chances de prévenir le cancer ».

Quand même, je ne résiste pas à l'envie de vous montrer dans un petit tableau, les résultats de ces 20 études de cohortes.

Tableau 6. Les études de cohortes sur les oméga-3

Types de cancer	Résultats		
	Positif	Négatif	Neutre
1 - SEIN	1 étude	3 études	7 études
2 - COLORECTAL	1 étude	–	17 études
3 - POUMONS	1 étude	1 étude	4 études
4 - PROSTATE	1 étude	1 étude	15 études
5 - PEAU	1 étude	–	–
6 - AUTRES (ORL, vessie, ovaire, pancréas, estomac, lymphome)	Aucune étude n'a montré de changement		

5 études montrent une augmentation du risque.
5 études montrent une diminution du risque.
Et 43 études ne montrent aucun changement.

Bon, on est d'accord je crois. Toutes ces données montrent bien que, dans l'ensemble, il est vraiment difficile d'affirmer sérieusement que les oméga-3 peuvent réellement avoir un quelconque rôle préventif en matière de cancer.

Messieurs, méfiez-vous des oméga-3

Mais, maintenant, il faudrait examiner peut-être l'autre aspect du problème.

Est-ce que les données les plus récentes confirment que, même s'ils ne font pas de bien, les oméga-3, au moins, ne font pas de mal ?

Et là, on est très embêté car deux études, bien faites, récentes, prospectives, ont montré que, au moins en matière de risque de cancer de la prostate agressif, les oméga-3 sont peut-être très dangereux.

Ainsi de cette étude appelée SELECT, où plus de 35 500 hommes ont été tirés au sort entre 2001 et 2004 et répartis en quatre groupes : un groupe prenait quotidiennement de la vitamine E, un autre du sélénium, un troisième les deux et un quatrième un placebo (c'est-à-dire rien du tout).

Au cours du suivi de ces volontaires, tous parfaitement sains au départ, 834 hommes ont fini par développer un cancer de la prostate dont 156 une forme très grave et très agressive de cette maladie.

Lorsque l'on a comparé le taux d'oméga-3 dans leur sang à celui des autres volontaires qui sont restés indemnes de cancer de la prostate, on a constaté que les hommes qui avaient un taux élevé de ces fameux acides gras (oméga-3) censés nous protéger avaient 43 % d'augmentation du risque d'avoir un cancer de la prostate, ce chiffre passant à 71 % d'augmentation si l'on ne considère que le risque de développer un cancer de la prostate très agressif.

Ce chiffre de 71 % de risque en plus, c'est énorme. Encore une fois, d'autant plus qu'il s'agit d'un cancer très grave et déjà particulièrement fréquent.

Alors, messieurs d'âge moyen, surtout si vous avez des antécédents familiaux de cancer de la prostate, abstenez-vous de prendre des suppléments d'oméga-3 et évitez les poissons gras, ce d'autant que, comme nous l'avons déjà vu (cf. *Le Vrai Régime anticancer*), ces poissons, en particulier le saumon, sont devenus tellement contaminés par toutes sortes de métaux lourds et de POP (polluants organiques persistants, exemple : pyralène, dioxine) qu'il vaut mieux en réduire la consommation.

Les oméga-6 pas si mauvais

Le plus surprenant dans cette histoire est que, pendant toutes ces années on nous a dit et répété que si les oméga-3 (les « gentils ») nous faisaient du bien, les oméga-6 (les « méchants »), eux, nous faisaient du mal en augmentant notre risque de développer un cancer.

Ces informations, répétées à l'envi dans la presse étaient basées sur des données expérimentales, c'est-à-dire obtenues au laboratoire. Or toutes les études récentes faites cette fois, en situation réelle, chez l'homme arrivent à la conclusion inverse ! Les hommes qui ont un taux sanguin élevé de ces acides gras censés être mauvais (les oméga-6 comme l'acide linoléique) ont une diminution de 23 à 25 % de leur risque de développer un cancer de la prostate, qu'il s'agisse d'une forme habituelle ou d'une forme très agressive.

Cette histoire finalement a une morale, comme on nous le dirait à l'école, elle en a même deux !

La première est que ce qui est déduit d'expériences au laboratoire n'est pas nécessairement vrai dès lors que l'on regarde ce qui se passe en situation réelle, chez l'être humain.

La seconde, tout aussi importante, est qu'il ne faut pas jouer à l'apprenti sorcier et avaler n'importe quoi tous les jours sans être vraiment sûr au moins de l'innocuité de ce que l'on prend.

On l'a vu de façon encore plus nette en parlant de vitamine A et de vitamine E par exemple.

Alors, pas d'oméga-3 en compléments alimentaires chez les hommes et, pour les deux sexes, évitez les saumons et autres poissons gras !

Tableau 7. Les sources d'oméga-3

Oméga-3 (acide alpha-linolénique)	g/100 g
Huile de noix	10,8
Huile de colza	8,2
Noix	8,1
Tarama	4
Saumon	1,8
Huile de foie de morue	1,63
Sardine	1,4
Maquereau	1
Thon	0,7
Huile d'olive vierge	0,6
Graisse d'oie	0,5

Source : https://pro.anses.fr/TableCIQUAL/index.htm et http://www.eufic.org/article/fr/nutrition/graisses/artid/acides-gras-omega-3/

Être chauffeur routier
n'est pas bon pour la prostate

Vous allez croire que c'est une blague mais en réalité, pas du tout !

Comme tout ce que je vous raconte ou que j'essaie de vous expliquer dans ce livre, cette information est tout ce qu'il y a de plus sérieux.

Les chauffeurs de poids lourds ont beaucoup plus de cancers de la prostate que tous les autres hommes.

Non seulement davantage de risques de développer un cancer dans ce noble organe masculin mais, en plus – histoire de corser le problème –, davantage de cancers agressifs de la prostate.

C'est le docteur L. Joseph Su du National Cancer Institute des États-Unis qui est arrivé à cette conclusion en étudiant l'activité principale durant leur vie de 2 132 hommes, chez qui le diagnostic de cancer de la prostate venait d'être diagnostiqué.

Des professions à risque

Seules deux professions se sont retrouvées très clairement associées à une augmentation significative du risque de présenter un cancer agressif de la prostate : chauffeur routier et pépiniériste. Les premiers voient ce risque multiplié par 4 en comparaison du risque des professeurs des écoles, pris comme référence de base, et les seconds, multipliés par 2.

Si pour la profession de pépiniériste, aucune explication sérieuse ne peut être évoquée en dehors d'un contact potentiellement important avec les pesticides et les herbicides, pour le métier de chauffeur de poids lourds, on sait deux choses :

1. que la station assise prolongée peut augmenter le risque de cancer ;

2. que les vibrations peuvent, semble-t-il, stimuler le développement du cancer de la prostate, en tout cas, c'est l'explication avancée dans son rapport d'étude par le docteur Su.

Alors, chers amis chauffeurs poids lourds, n'hésitez pas à faire examiner régulièrement votre prostate par votre médecin généraliste.

Le travail de nuit

Encore une inégalité sociale qui augmente le risque de cancer !

En juillet dernier, une très belle étude réalisée au Canada par l'équipe du docteur Anne Grundy de Toronto a en effet montré de façon assez indiscutable que le fait de travailler la nuit pendant plus de trente ans, multipliait le risque de cancer du sein, par au moins 2 (et peut-être même jusqu'à 4).

Travail de nuit nocif pour la santé

Bien sûr, cette étude ne venait que confirmer le rapport de l'Agence internationale de recherche sur le cancer de l'Organisation mondiale de la santé. En 2007, l'OMS avait déjà classé le travail nocturne comme probablement cancérigène en raison de la multitude d'études qui tendaient à cette conclusion.

Quand on regarde de plus près cet article canadien, on constate que cet effet multiplicateur porte essentiellement sur les cancers du sein sensibles aux hormones féminines (œstrogènes et progestérone), ce qui suggère évidemment que l'effet du travail de nuit passe probablement par un phénomène de dérèglement hormonal.

On ne peut cependant exclure totalement que le fait qu'il s'agisse essentiellement de cancers du sein hormonodépendants, beaucoup plus fréquents chez les femmes après la ménopause, soit en réalité lié au fait qu'avoir travaillé plus de trente ans la nuit implique nécessairement que la plupart de ces femmes auront dépassé les 50 ans et donc l'âge moyen de la ménopause au moment du diagnostic du cancer.

Alors, me direz-vous, quels sont les mécanismes qui peuvent expliquer ce phénomène d'augmentation du risque ?

Mélatonine et lumière électrique en cause

La vérité est que personne n'en a encore une idée vraiment très précise. C'est ainsi que l'on a incriminé des perturbations du cycle de sécrétion de la mélatonine, très lié au sommeil et à la lumière et qui lui-même, est très connecté aux cycles hormonaux chez la femme.

Une autre hypothèse lierait cet effet potentiellement grave à la lumière électrique, lumière qui pourrait elle aussi modifier le cycle hormonal naturel tel qu'il existe en situation normale de présence de lumière naturelle pendant les heures d'éveil.

Quoi qu'il en soit, il n'en demeure pas moins que le travail nocturne, effectué tout au long d'une vie professionnelle, notamment chez les infirmières et le personnel féminin hospitalier, augmente de façon inacceptable, le risque pour elles de développer un cancer, déjà pour autant le plus fréquent chez la femme et encore bien souvent grave.

CHAPITRE 5

Le top 7
des bons aliments anticancer

1. La grenade

Voilà le premier de mes top 7. À côté de l'ail, du thé vert, du curcuma, du brocoli, du sélénium et de la quercétine, la grenade, ou plutôt son jus ou son essence, est un produit fantastiquement intéressant.

Connue et consommée depuis la nuit des temps, la grenade a toujours été considérée comme une source de bien-être et de bonne santé. On a même retrouvé des grenades déposées en offrande dans la tombe d'un haut dignitaire égyptien du temps de Ramsès IV.

Tout est bon dans la grenade

Deux éléments de ce fruit sont dotés de propriétés antioxydantes capables d'agir en matière de prévention (et peut-être même de traitement) du cancer.

Il s'agit des graines généralement de couleur rouge foncé, pleines d'anthocyanosides dont certains sont très antioxydants et de la peau du fruit qui, elle, contient de la punicalagine. La présence de cette substance en forte concentration explique pourquoi le jus commercial, fabriqué par pressage de fruits entiers, avec leur peau, est beaucoup plus puissamment antioxydant que le jus fait à la maison, généralement à partir des graines seules.

De multiples propriétés

Les Américains l'appellent aussi la « pomme chinoise » et il est bon de noter que la consommation de la grenade apporte de grandes quantités de vitamine C, de potassium, de fer, de zinc, de magnésium et de cuivre ainsi que toute une série de vitamines du groupe B (B1-B2-B3-B5-B6-B9), toutes choses plutôt bonnes pour le sujet qui nous occupe.

Le jus de grenade, avant d'envisager son rôle dans le cancer, semble être doué de propriétés pour lutter contre l'hypertension artérielle, l'hyperlipidémie, les troubles coronariens et même peut-être les difficultés d'érection.

Un médicament antiaromatase naturel

Les mécanismes d'action du jus de grenade sur les processus cancéreux sont d'abord et avant tout liés au fait que les antioxydants qu'il contient seraient capables de bloquer la fabrication d'hormones sexuelles en inhibant une enzyme présente dans les glandes surré-nales, appelée aromatase. C'est notamment cette enzyme qui génère la présence d'hormones sexuelles comme les œstrogènes chez les femmes après la ménopause quand les ovaires, eux, ont arrêté de travailler. Et l'on sait, par de très nombreuses études cliniques, que justement les médicaments antiaromatase sont très efficaces dans le traitement des cancers du sein après la ménopause. C'est donc pour ainsi dire, un médicament antiaromatase naturel que l'on va trouver dans le jus de ce fruit.

Plusieurs études confirment ce fait. En janvier 2010, une équipe de chercheurs de Californie a publié ses travaux dans la revue de l'American Association for Cancer Research, expliquant qu'un ingrédient de la grenade pouvait avoir un effet suppresseur sur la prolifération des cellules cancéreuses dans les tissus mammaires.

En 2012, une autre étude, toujours de l'Université de Californie, vient confirmer que le jus de grenade et ses composants spécifiques inhibent les processus moléculaires critiques pour l'apparition de métastases dans le cancer du sein et de la cellule.

D'autres chercheurs de l'Ohio State University, le docteur Shiuan Chen, directeur de la Division of Tumour Cell Biology, et le docteur Lynn Adams, du Beckman Research Institute, publient sur les graines de grenade, appelées « arilles » dans la revue *Cancer Prevention Research* : avec une bonne concentration en flavonoïdes, des anthocyanidines et de l'acide ellagique, la grenade possède des substances qui empêchent indiscutablement le développement des cellules cancéreuses au niveau des tissus du sein. Et, en plus de ses propriétés sur le sein, une consommation régulière de jus de grenade permettrait aussi de tenir en bonne santé les tissus vulnérables aux œstrogènes, tels que les ovaires et l'utérus.

Grande efficacité pour le cancer de la prostate

De la même manière, plusieurs expériences ont montré sa capacité à bloquer la prolifération de cellules d'un autre cancer lié aux hormones, mais mâles cette fois : le cancer de la prostate. Et, effectivement, comme on va le voir maintenant, c'est sur ce cancer de la prostate que le jus de grenade va montrer toute sa puissance.

Et cela n'est pas rien, car il s'agit là du cancer le plus fréquent chez l'homme en France, encore responsable de près de 11 000 morts chaque année dans notre pays.

Trois études réalisées chez l'homme, en situation clinique donc, ont confirmé l'efficacité de la grenade dans ce cancer.

Dans la première, 48 hommes atteints de cancer de la prostate et traités initialement ont été suivis à partir du moment où leur maladie récidivait. Cette surveillance se fait, comme dans les études dont nous parlerons ensuite, en dosant régulièrement une substance dans le sang, appelée PSA. L'élévation de cette substance est, dans le cas de patients atteints de cancer de la prostate, tout à fait parallèle à l'évolution de la maladie. En d'autres termes, si le PSA monte, c'est que le cancer s'aggrave.

Bien, revenons à cette première étude. Quarante-huit hommes ont d'abord été simplement surveillés avec des dosages du PSA successifs, sans aucune intervention thérapeutique. Cette période de simple surveillance a permis de calculer le « temps de doublement » du PSA. Il était de quinze mois en moyenne. Puis, ces malades ont commencé à boire un quart de litre de jus de grenade par jour. Et, pendant cette deuxième période, on a regardé si le PSA continuait de doubler à la même vitesse ou si le jus de grenade avait pu ralentir, voire stopper l'aggravation du cancer. Et là, les résultats ont été extraordinaires. Le temps de doublement est passé de quinze mois à cinquante-huit mois, soit une augmentation de quarante-trois mois avec en plus, un PSA qui s'est amélioré chez 82 % des malades !

Des résultats que l'on aurait pu attendre d'un médicament anti-cancéreux et pas d'un simple jus de fruit.

Dans une deuxième étude, une équipe de l'Université de Los Angeles a suivi 104 patients toujours atteints de cancer de la prostate pendant dix-huit mois en leur donnant à prendre des gélules d'extraits de grenade, équivalant à 240 ml de jus de grenade par jour. Là aussi, alors que le temps de doublement du PSA était en moyenne de 11,9 mois avant le début de la prise d'extraits de grenade, il était passé, sous l'effet de ce traitement, à plus de dix-huit mois. Plus encore, chez 43 % des patients, le temps de doublement avait augmenté de plus de 100 % et 13 % de ces patients ont même vu leur taux de PSA baisser grâce à la grenade.

Enfin, parlons de la troisième étude publiée en mars 2014. C'est là une étude anglaise sous la responsabilité de l'Institut national du cancer britannique. Dans cette étude, 199 hommes âgés en moyenne de 74 ans et atteints d'un cancer de la prostate localisé ont été tirés au sort. Certains ont reçu tous les jours des gélules contenant des extraits de grenade, de thé vert, de curcuma et de brocoli. Les autres ont pris des gélules ne contenant rien (placebo) et ce, pour les deux groupes, pendant six mois. Là, ce n'est pas le temps de doublement du PSA qui a été regardé mais l'élévation de celui-ci. Alors, écoutez bien : dans le groupe traité par les gélules contenant de la grenade, le PSA a monté en moyenne en six mois de 14,7 % mais, dans l'autre groupe recevant un placebo, dans le même temps, le PSA avait monté de 78,5 % soit plus de 63 % de différence ! Vous vous rendez compte !

Mieux encore, si l'on regarde le nombre de patients dont l'aggravation était telle qu'il a fallu recourir à un traitement traditionnel (chirurgie, rayons, médicaments), au terme des six mois de l'étude, ce chiffre n'était que de 8 % dans le groupe recevant ces antioxydants (mais attention, pas n'importe lesquels) alors qu'il était de 27,7 % dans le groupe recevant le placebo.

Je crois que ces études qui m'ont convaincu de l'utilité, de l'efficacité de la grenade dans le cancer, vous auront au moins interpellés.

Cela dit, comme toujours en médecine, il me faut citer une étude négative. Elle a été publiée en août 2013 par le docteur Stenner-Liewen. Dans son étude, 102 patients suivis, toujours atteints de cancer de la prostate, ont été répartis en deux groupes, l'un buvant du jus de grenade et l'autre non, et on a regardé l'évolution du temps de doublement du PSA. Au terme de l'étude, ce temps était le même dans les deux groupes, ce qui pourrait contredire les résultats des études précédentes. Seulement, voilà, sans que personne ne comprenne ni pourquoi ni comment, 35 % des hommes du groupe sans jus de grenade, sans traitement aucun, ont vu spontanément leur taux de PSA baisser !

Bien sûr qu'avec une telle proportion de baisse « spontanée », il est impossible de voir quoi que ce soit, lorsque l'on compare ce groupe à celui buvant du jus de grenade. Malheureusement, cette équipe n'a pu fournir aucune explication sur cette énorme proportion de baisse spontanée observée (on aimerait bien qu'un tiers des malades atteints de cancer aillent mieux spontanément !) et, en conséquence, je crois qu'il est raisonnable, jusqu'à preuve du contraire de la considérer comme biaisée et de ne pas en tenir compte.

Alors, au total, je crois et c'est ce que je fais quotidiennement et que je conseille à mes malades, qu'il n'est pas mauvais de boire régulièrement de ce jus ou de prendre de ces extraits dès lors que l'on a, ou que l'on est à risque d'avoir un cancer de la prostate, du sein ou un cancer hormono-dépendant féminin.

Comme moi, vous conviendrez que la grenade mérite à juste titre de figurer dans mes top 7.

2. L'ail

L'ail est un aliment qui n'est pas forcément apprécié de tout le monde.

C'est le moins que l'on puisse dire et je dois reconnaître que jusqu'à ce que je découvre les propriétés incroyables de cet aliment, je n'en mangeais qu'en vacances, l'été, au bord de la Méditerranée où je suis né et où j'ai grandi.

Quoi de meilleur, sous le soleil, qu'une bonne bouillabaisse, des croûtons couverts de rouille et un bon verre de rosé glacé...

Mais voilà, certains ingrédients, par ailleurs très actifs pour ce qui nous concerne, contenus dans l'ail, provoquent une haleine qui peut parfois, disons... poser problème.

Un rôle préventif avéré

Pourtant, l'ail est certainement un des aliments anticancer pour lesquels nous disposons d'un nombre impressionnant d'études qui semblent toutes, pratiquement, confirmer le rôle préventif pour de nombreux cancers. Connues depuis l'Antiquité, notamment en Asie, les propriétés médicinales de l'ail apparaissent chaque jour davantage certaines.

L'ail, que l'on appelait le « nectar des dieux », contient des composés liposolubles et hydrosolubles sulfurés très actifs.

Le principal d'entre eux, l'allicine, qui est aussi le composé responsable de l'odeur très typique et donc de l'haleine de ceux qui en mangent, n'apparaît dans l'ail que dès lors que celui-ci est écrasé. Par contre, l'allicine est plus ou moins détruite et ses propriétés avec, si l'ail et chauffé excessivement. Comme dans le fameux régime crétois, le mieux est de mettre de l'ail écrasé dans la salade de tomates par exemple.

Une fois ingérés, les composés anticancer de l'ail vont passer dans le sang où l'on peut les doser. Ils sont ensuite détruits dans le foie.

À côté de l'ail frais écrasé, il existe en Asie la possibilité de manger de l'ail « vieilli » dans lequel les antioxydants qui nous intéressent sont particulièrement concentrés.

De très nombreuses études ont démontré, de mon point de vue, l'action anticancer de l'ail.

Trois actions anticancer bien identifiées

Cet effet se produit de différentes manières qui concourent toutes, soit à prévenir certains cancers, soit à augmenter l'efficacité des traitements.

C'est ainsi qu'il a été parfaitement observé que l'ail pouvait stimuler notre système immunitaire, augmentant sa capacité à reconnaître et à détruire les cellules cancéreuses.

Ce fait est particulièrement important, car l'on sait aujourd'hui que les cellules cancéreuses incroyablement intelligentes sont capables de sécréter des substances qui endorment nos globules blancs en charge de notre immunité. À l'inverse, l'ail les réveille en quelque sorte et réactive le système immunitaire.

Par ailleurs, il a été aussi démontré, en tout cas au laboratoire, que les dérivés actifs de l'ail pouvaient bloquer la prolifération des cellules malignes, les poussant même à se suicider (ce qu'en médecine on appelle « apoptose » ou suicide cellulaire).

Mieux encore, l'ail peut intervenir selon un troisième mécanisme : en effet, on sait parfaitement qu'une tumeur qui se développe, quelque part dans notre corps, a besoin d'assurer son approvisionnement énergétique afin de nourrir toutes les cellules qui la constituent et qui, du fait de leur prolifération permanente, sont chaque jour plus nombreuses.

Cet apport énergétique (oxygène et glucose) est fourni par le sang frais et donc par les vaisseaux qui nourrissent la tumeur. Comme le nombre de cellules cancéreuses ne cesse d'augmenter, il faut également que la tumeur augmente le nombre de vaisseaux qui l'irriguent, qui la vascularisent. Elle y arrive en sécrétant des substances qui sont capables de créer de nouveaux vaisseaux sanguins à partir des vaisseaux présents dans son voisinage. Ce processus s'appelle l'angiogenèse (ou en français, la fabrication de vaisseaux). Eh bien, l'ail possède la fantastique propriété de bloquer ces substances angiogéniques et donc de ralentir cette fabrication de nouveaux vaisseaux censés nourrir la tumeur. Ce qui va se produire alors, c'est que, manquant rapidement de nourriture, les cellules cancéreuses vont dépérir, ne vont plus avoir assez d'énergie pour se diviser, se multiplier ; ce phénomène va donc considérablement ralentir la croissance du cancer.

Comme vous le voyez, l'ail est un fantastique anticancer. Pour moi, il fait partie des top 7 anticancer.

Comme il améliore en plus l'efficacité d'un autre des top 7 anticancer, le sélénium (que l'on trouve dans les poissons, fruits de mer, volaille, œufs et les céréales), je vous conseille de les consommer ensemble.

Bon, tout cela est ce qui se passe lorsque l'on étudie l'ail en laboratoire. Qu'en est-il en clinique, chez l'homme ?

Incontournable aliment anticancer

De très nombreuses études existent qui, pour l'immense majorité d'entre elles, vont dans le même sens : les composés de l'ail ont une forte activité anticancer !

C'est ainsi qu'une très grande étude italo-suisse, publiée en 2006, a démontré que la consommation importante d'ail avait un rôle protecteur contre les cancers du côlon, du rein surtout, mais aussi dans de nombreux autres types de cancers à l'exclusion des cancers sensibles aux hormones, comme les cancers du sein ou de la prostate.

Une autre très belle étude italienne a non seulement confirmé ce rôle préventif mais a même conclu que la consommation d'au moins 22 portions d'ail par semaine, diminuait de 40 à 60 % le risque de développer un cancer de la bouche, de l'œsophage, du larynx, du rein, du côlon et même, dans cette étude, une diminution, certes plus modeste, du risque de développer un cancer du sein ou de la prostate.

Encore une autre étude, publiée en 2000 dans la célèbre revue indiscutable *American Journal of Clinical Nutrition*, a montré que la consommation de plus de 28 g d'ail par semaine (franchement, c'est énorme !) pouvait réduire de 30 à 40 % la survenue de cancers de l'estomac ou du côlon.

Et je pourrais comme cela citer plus de vingt études, toutes d'excellente qualité et qui arrivent aux mêmes conclusions.

Ce qui est particulièrement intéressant avec l'ail, c'est que l'on a pu même démontrer, chez l'être humain (et pas chez l'animal de laboratoire où l'on est jamais bien sûr que cela corresponde à ce qui se passe chez l'homme !), que la consommation d'ail pouvait réduire de 30 % la taille et le nombre de polypes dans l'intestin. Sachant que c'est toujours à partir de ces polypes, lorsqu'ils grossissent, que se développent les cancers du côlon, on comprend bien comment l'ail possède cette fantastique action anticancéreuse.

3. Le sélénium

J'ai une affection particulière pour le sélénium, l'un de mes top 7 anticancer.

La raison est que celui-là a prouvé, en plus de son intérêt dans la prévention de certains cancers, qu'il pouvait être également très intéressant chez les malades atteints de cancer en les aidant à diminuer les effets secondaires des traitements, et notamment de la radiothérapie et de la chimiothérapie.

Moi qui, presque tous les jours, vois des patients qui souffrent terriblement, encore bien souvent, de la lourdeur des traitements anticancéreux, je dois dire que j'aime l'idée de pouvoir leur prescrire un peu de sélénium et de penser que, très probablement, cela leur fera du bien.

Un minéral protecteur issu de la terre

Le sélénium est un composé présent en très grande quantité dans la terre et, par l'intermédiaire des plantes, il va se trouver incorporé à la chaîne alimentaire.

On trouve ainsi du sélénium dans les céréales, surtout complètes, les viandes, les poissons et les coquillages, les volailles et les noix, surtout les noix du Brésil, et les abats. Pour ce qui est des céréales, leur quantité de sélénium dépend de la richesse de la terre sur laquelle elles sont cultivées.

De ce point de vue, il est à noter que les sols européens produisent les céréales les plus pauvres en sélénium. De ce fait et en raison de la baisse de la consommation de viande et surtout d'abats, on constate une diminution de moitié de la quantité de sélénium apportée en moyenne chaque jour dans notre alimentation depuis les trente dernières années. Cet apport réduit en sélénium souligne, en tout cas je le pense, l'importance d'apports complémentaires en éléments du top 7 comme ceux que je prends quotidiennement.

Tableau 8. Les sources de sélénium

Sélénium	ug/100 g
Thon	348
Noix du brésil	178
Pâte au blé complet	131
Rognon de bœuf cru (abats)	118
Jaune d'œuf	76
Levure alimentaire	71
Maquereau	51
Pois chiche	45
Farine de blé	25
Poulet	17

Source : https://pro.anses.fr/TableCIQUAL/index.htm

Une double action préventive

En matière de prévention du cancer, le sélénium agit essentiellement de deux manières.

D'une part et surtout, il va bloquer l'activité désastreuse des radicaux libres à l'intérieur de nos cellules, en les neutralisant.

Ces radicaux, on l'a vu, sont produits au cours de la respiration cellulaire. Ils proviennent d'une transformation des molécules d'oxygène en des substances extrêmement réactives, caustiques, capables, en s'agitant dans tous les sens à l'intérieur de l'espace nécessairement clos d'une cellule, d'abîmer toutes les protéines et d'une façon plus générale, toutes les structures présentes à l'intérieur de ces cellules.

Il en est ainsi des membranes cellulaires, des protéines enzymatiques qui gèrent la vie de la cellule et sa fonction, et, pire que tout, des gènes écrits sur l'ADN de nos chromosomes avec le risque, alors, de provoquer soit directement en altérant la séquence des lettres génétiques (ATCG) qui écrivent nos gènes, soit indirectement, en mobilisant sans cesse les systèmes de réparation de l'ADN jusqu'à ce que, épuisés, surmenés, ils finissent par mal faire leur travail, aboutissant, dans les deux cas, à l'apparition de mutations à l'origine de la plupart des cancers. C'est ce dérèglement que l'on appelle le stress oxydatif.

Le sélénium bloque ces radicaux libres oxygénés en les neutralisant, en les calmant, et donc inhibe ce fameux stress oxydatif.

Il est donc, potentiellement, déjà, un excellent anticancer.

En plus de cet effet inhibiteur du stress oxydatif, le sélénium, comme la plupart des autres agents du top 7, est capable de provoquer le suicide des cellules cancéreuses ou l'« apoptose ».

En matière de prévention du cancer, une très belle étude publiée en 2004 dans la très célèbre revue *Lancet* et qui reprenait elle-même les résultats de toutes les recherches portant sur le rôle préventif du sélénium dans les cancers digestifs, arrivait à la conclusion que, si les vitamines A, C, E et le bêta-carotène n'avaient aucun rôle protecteur, voire le contraire, le sélénium, lui, semblait diminuer le risque de cancer du tube digestif.

Chez les hommes

Dans un autre essai, appelé le « Nutritional Prevention of Cancer Trial », portant sur le suivi de 1 312 résidents de l'Est des États-Unis, l'apport quotidien de 200 µg de sélénium a permis de réduire de 25 % le risque de cancer en général, et de 52 % le risque de cancer de la prostate. Cet effet sur les cancers en général a surtout été observé chez les hommes, plutôt que chez les femmes, chez les anciens fumeurs et chez ceux qui avaient un taux de sélénium sanguin relativement bas au départ.

Dans cette même étude, mais dans un rapport antérieur datant de 1996, les auteurs de ces recherches indiquaient déjà que la supplémentation en sélénium était globalement capable de réduire de façon très significative **la** mortalité liée au cancer avec, au cours du suivi de ces volontaires, **57** morts par cancer dans le groupe contrôle, c'est-à-dire celui ne prenant pas de sélénium, contre seulement 29 morts dans le groupe recevant le sélénium, soit une réduction du risque de mourir du cancer de près de 50 % !

Chez les femmes

Enfin, il y a une autre très belle étude publiée en 2010, dans laquelle les chercheurs ont, comme on l'a déjà vu, repris toutes les données publiées sur le lien éventuel entre sélénium et cancer, cette fois de la vessie. Là encore, les résultats sont particulièrement encourageants avec une réduction du risque de développer ce cancer de 45 % chez les femmes.

Donc, le sélénium globalement bon est l'illustration du fait qu'il n'y a pas de régime anticancer universel. Il réduit le risque de cancer de la vessie plutôt chez les femmes et le risque de cancer digestif plutôt chez les hommes.

En soutien des traitements de chimiothérapie

Mais, comme je l'ai dit au début de ce chapitre, le sélénium est en plus plutôt bon pour les patients déjà atteints de cancer et subissant de lourds traitements comme la chimiothérapie ou les rayons.

Ainsi, une équipe a démontré il y a dix ans, que l'apport de 200 µg par jour de sélénium chez les femmes atteintes de cancer de l'ovaire sous chimiothérapie, réduisait la fréquence de la chute de cheveux, des douleurs abdominales, de la faiblesse, des malaises, de perte d'appétit ainsi qu'une réduction du risque de chute des globules blancs qui, comme on le sait, sont indispensables pour se protéger contre les infections.

Dans le même esprit, et la même année, une autre équipe de radiothérapeutes cette fois, arrivait à la conclusion que le sélénium pouvait réduire le risque et l'importance des œdèmes de la face et du cou qui, généralement, surviennent avec les rayons administrés pour des cancers ORL par exemple.

Ainsi, on le voit, le sélénium mérite d'être dans la « short » liste des meilleurs aliments anticancer et c'est pourquoi je l'ai inclus dans mes top 7.

4. Le curcuma

Il fait partie de mes top 7 avec la quercétine (surtout pour les fumeurs), la grenade, l'ail et le thé (plutôt vert), le brocoli et le sélénium.

Il est obtenu à partir d'une racine appartenant à la famille du gingembre.

Amené en Europe par les Arabes vers le XIIIe siècle, il a servi pendant longtemps de colorant jaune-orangé. Il est, comme vous le savez, le constituant principal du curry.

Les propriétés médicinales de cette épice, connues depuis des centaines d'années incluent un effet calmant sur la colite spasmodique et l'arthrite des articulations ou l'ulcère gastroduodénal par exemple.

Mais, bien sûr, ce qui nous intéresse ici est de savoir si le curcuma a un rôle bénéfique en matière de cancer.

Au laboratoire, les effets anticancer du curcuma, au travers de son principal composé, la curcumine, ont été depuis longtemps démontrés.

Actif au cœur des cellules cancéreuses

Ainsi, le curcuma est capable d'induire le suicide (apoptose) des cellules cancéreuses cultivées au laboratoire, de stopper la prolifération de ces cellules malignes en les empêchant de se diviser. Il bloque la sécrétion par les cellules cancéreuses des substances qui leur permettent habituellement de creuser des tunnels dans les tissus pour se déplacer et pour donner des métastases ou, même, les substances qu'elles sécrètent pour attirer vers elles les vaisseaux sanguins afin de disposer d'un approvisionnement en sang frais suffisant pour nourrir toutes les nouvelles cellules cancéreuses qui naissent à tout instant.

En plus, le curcuma possède un effet hormonal qui en fait un véritable phyto-œstrogène. Enfin, il semble, au moins au laboratoire, être capable d'augmenter l'effet positif de la vitamine D sur la prévention du cancer.

Le seul problème, avant d'aborder les études cliniques chez l'homme, c'est que le curcuma, une fois avalé est très rapidement détruit dans l'organisme et n'a donc pas vraiment le temps, contrairement à ce qui se passe au laboratoire, de mettre en œuvre ses propriétés.

Un usage inédit

De nombreux centres de recherches convaincus comme moi de l'intérêt du curcuma essaient de trouver des moyens de prolonger la vie du curcuma à l'intérieur du corps. C'est ainsi que des nanoparticules du curcuma sont en cours de test ou même des liposomes remplis de curcuma (ce sont des gouttelettes d'huile contenant le principe actif du curcuma) que l'organisme met beaucoup de temps à métaboliser et à détruire.

Quant à moi, je pense que la meilleure technique pour prolonger la vie et donc d'augmenter l'efficacité du curcuma consiste tout simplement à le prendre avec du poivre.

En effet, la pipérine contenue dans le poivre noir multiplie la durée de vie du curcuma dans notre organisme par 2 000 !

Les Indiens et les Asiatiques en général ne se sont pas trompés, eux qui n'hésitent pas à s'enflammer la bouche avec des mets piquants et très souvent pleins de curcuma.

De merveilleuses activités anticancer

Mais, même avec les limites liées au caractère si éphémère du curcuma dans notre organisme, de très nombreuses études cliniques ont d'ores et déjà montré, sans beaucoup de doute permis, que cette épice est réellement dotée de merveilleuses activités anticancer. Sans doute le cancer où l'efficacité du curcuma a été le mieux démontrée est le myélome. Il s'agit d'une forme de cancer de la moelle osseuse qui détruit les os et, en empêchant la moelle normale de fonctionner, finit par entraîner la mort.

Comme dans beaucoup de formes de cancers, ce myélome est précédé d'un état préalable à malignité réduite (on appelle cela en anglais MGUS) ou par un stade malin, mais encore très peu actif (myélome dormant). Ensuite, le myélome devient actif et véritablement malin. Trois études méritent d'être citées : l'une a étudié 25 patients atteints soit de MGUS, soit de forme dormante. Après tirage au sort, la moitié a pris 4 g par jour de curcuma et l'autre moitié, 4 g par jour de placebo et ce pendant trois mois. Au terme de cette période, les marqueurs de cette maladie maligne avaient considérablement diminué chez les malades sous curcumine.

Dans la deuxième étude, 26 patients atteints uniquement de MGUS ont été répartis en deux groupes : 17 ont reçu du curcuma et 9 du placebo (c'est-à-dire des gélules vides) pendant trois mois. Là encore, au terme de l'étude, 10 patients sur les 17 traités par du curcuma ont vu leur taux de marqueurs de ce cancer diminuer dans le sang.

Enfin, la troisième étude est encore plus passionnante. Elle a concerné 29 patients cette fois-ci atteints de la forme réellement maligne de cette maladie. Les patients recevaient soit du curcuma seul, soit en association avec de la pipérine dont on a vu qu'elle augmentait l'efficacité du curcuma.

Chose assez incroyable, pour ceux qui malheureusement connaissent cette maladie, 12 patients sur les 29 inclus dans l'étude ont eu une maladie contrôlée pendant plus de trois mois et 5 ont même tenu au moins un an. Juste avec des épices !

Substances anticancéreuses : plus actives en association

Pour le cancer de la prostate, une très belle étude a regardé ce qui se passait chez 85 malades suspects d'avoir un cancer prostatique, qui présentaient donc des taux sanguins très élevés du marqueur sanguin de ce cancer que l'on appelle le PSA. Ces patients ont été répartis là aussi en deux groupes : 43 d'entre eux ont pris pendant six mois 100 mg de curcuma associé à 40 mg d'extraits de soja et l'autre groupe de 42 patients a pris un placebo.

Le taux de PSA initialement très élevé a considérablement baissé dans le groupe traité, ce qui suggère fortement une efficacité de cette association, curcuma et extraits de soja, assez logique quand on sait, comme je l'ai expliqué au début de ce livre que les substances anticancéreuses sont beaucoup plus efficaces quand elles sont associées entre elles.

Dans le cancer du pancréas aussi, cette merveilleuse épice a montré des signes indiscutables d'efficacité. Deux études : l'une conduite sur 21 patients atteints de cancer du pancréas avancé qui ont reçu 8 g par jour jusqu'à progression de leur maladie. Deux d'entre eux ont présenté une efficacité incontestable dont un a eu une stabilisation de sa maladie pendant plus de dix-huit mois (je vous rappelle que la survie moyenne dans ce type de situation ne dépasse pas en général les cinq à six mois). Un patient supplémentaire a vu sa tumeur régresser de façon nette mais malheureusement pas durable.

Dans la deuxième étude, 11 patients toujours atteints de cancer du pancréas ont reçu une association de chimiothérapie intraveineuse classique avec du curcuma par voie orale. Grâce à cette association, 45 % des patients ont présenté un véritable contrôle de leur cancer, ce qui, par rapport à l'efficacité attendue de cette chimiothérapie, si elle avait été donnée seule, semble indiscutablement intéressant.

Dans le cancer du côlon, deux études ici aussi méritent d'être citées.

La première porte sur 5 individus porteurs d'une anomalie génétique héréditaire qui provoque chez eux, très tôt dans leur vie, l'apparition de nombreux polypes dans le côlon et, immanquablement, si on ne leur enlève pas tout le côlon avant 30 ans, provoquera l'apparition d'un cancer. Ces 5 patients atteints de cette maladie rare (on l'appelle la polypose adénomateuse familiale) ont reçu tous les jours pendant six mois 480 mg de curcumine et 20 mg de quercétine (un autre de mes top 7). Les auteurs de cette étude ont constaté une réduction du nombre et de la taille des polypes entre la coloscopie de départ et celle réalisée au bout des six mois de l'expérience.

La deuxième étude a consisté a donné 360 mg de curcumine à des patients chez qui le diagnostic de cancer colique venait d'être porté et de continuer ce traitement jusqu'à l'intervention chirurgicale (dix à trente jours plus tard). Une amélioration nette de l'état physique général comme de très nombreux paramètres biologiques ont été observés suggérant l'intérêt préopératoire de cette épice.

Efficacité observée
en action préventive

Enfin, il me faut pour finir vous parler de deux dernières études que je trouve passionnantes.

La première parce qu'elle traite de prévention du cancer chez des patients présentant des états précancéreux confirmés. Ainsi, 25 patients atteints de précancer de la bouche (leucoplasie), du col de l'utérus (CIN), de la peau (maladie de Bowen), de la vessie (polype cancéreux enlevé) ou enfin de l'estomac (métaplasie intestinale) ont reçu pendant trois mois, 8 g par jour de curcumine. Une biopsie des lésions était faite avant le démarrage de l'étude et une autre au bout des trois mois. Assez remarquablement (car en fait, il ne s'agit que de prendre quelques grammes d'épice... mais la bonne !), une amélioration anatomopathologique, c'est-à-dire après étude objective au microscope des biopsies, a été observée chez 1 des 2 patients malades de la vessie, 2 des 7 patients malades de la bouche, 1 des 6 patients malades de l'estomac, 1 des 4 patientes malades du col de l'utérus et 2 des 6 patients atteints d'un état précancéreux de la peau.

Encore une fois, pas mal pour une épice !

Une action spécifique
dans les cancers ORL

La deuxième étude concerne là des patients atteints de cancers ORL et qui ont besoin de recevoir de fortes doses de rayons sur ou autour de leur bouche, généralement associés à de la chimiothérapie. Ces traitements, s'ils sont relativement efficaces, entraînent très souvent une terrible inflammation des muqueuses, très douloureuse, empêchant souvent d'avaler quoi que ce soit et entraînant donc souvent un véritable état de dénutrition pouvant conduire à l'abandon du traitement.

En octobre 2013, les résultats d'une indiscutable étude ont été publiés. Quatre-vingts patients atteints de cancer ORL et devant recevoir ce type de traitement ont été tirés au sort, moitié (40 patients) ont fait quotidiennement des gargarismes à base de curcuma et les 40 autres, des gargarismes avec la solution médicamenteuse habituelle de povidone-iodée (type Predyl®) !

Ces résultats furent remarquables et le bain de bouche classique fut totalement dépassé par l'action positive du curcuma sur plusieurs aspects : qu'il s'agisse du temps écoulé entre le début de la radiothérapie et le début de l'inflammation, de son intensité, du pourcentage de cas d'inflammations intolérables, du nombre d'arrêts nécessaires du fait de cette inflammation intolérable et même en ce qui concerne le nombre de cas d'amaigrissement par difficulté à s'alimenter.

Au total, je pense qu'après avoir pris connaissance de toutes ces informations, vous conviendrez comme moi, que ce fameux curcuma mérite incontestablement de figurer dans nos top 7 anticancer.

5. La quercétine

La quercétine occupe une bonne place dans mon top 7.

C'est de mon point de vue l'élément qui probablement a le plus d'atouts mais pour lequel nous disposons, à l'heure actuelle, du moins d'informations cliniques et d'études chez l'homme.

La quercétine fait partie de la famille des flavonoïdes que l'on trouve dans de très nombreux aliments comme les pommes, les fruits rouges, le thé, les raisins et le vin, les oignons, le chocolat, les câpres ou la livèche, une très bonne salade que l'on appelle aussi le céleri perpétuel.

Tableau 9. Les sources de quercétine

Quercétine	mg/100 g
Câpres	180
Livèche	170
Oignon rouge	20
Brocoli	3,2
Thé	2,7
Cerise	1,2
Vin rouge	0,8
Pomme crue avec peau	0,3

Source : Usda.

Un puissant agent anticancer

C'est un très puissant antioxydant capable de neutraliser les radicaux libres oxygénés produits par la « respiration » cellulaire et qui sont, on l'a dit plus haut, à l'origine d'altérations de notre ADN pouvant conduire à des mutations cancérigènes.

La quercétine est aussi capable de bloquer la division et donc la prolifération des cellules cancéreuses alors qu'elle est sans effet sur les cellules normales.

Elle provoque le suicide cellulaire, ou l'apoptose, des cellules malignes en inhibant les mécanismes que celles-ci mettent généralement en place pour rester immortelles.

Elle stimule le système immunitaire et sa capacité à combattre le cancer.

C'est donc un magnifique produit anticancer.

Ses effets ont été parfaitement démontrés sur des modèles expérimentaux, sur des cellules cancéreuses en culture au laboratoire et, pour la plupart, confirmés par des expériences réalisées sur des animaux porteurs de cancer.

Malheureusement, peu d'informations sont encore disponibles sur son activité anticancer chez l'homme.

L'action de la quercétine démontrée par des études

Quelques études existent cependant et méritent d'être rapportées ici.

Dans l'une d'entre elles, dont j'ai déjà parlé à propos du curcuma, 5 patients atteints d'une maladie appelée polypose adénomateuse familiale et qui, à l'âge adulte et en l'absence d'ablation préventive du gros intestin (côlon) vont développer un cancer colique, ont pris, pendant les six mois qui ont précédé l'opération, pour enlever leur côlon, un mélange quotidien de curcuma et de quercétine. Le nombre et la taille de leurs polypes ont été mesurés avant traitement et au bout de six mois par coloscopie.

La prise de ces deux anticancers, le curcuma et la quercétine, a réduit de 60 % le nombre et de 51 % la taille des polypes.

Une autre étude me semble intéressante. Elle concerne le risque de cancer de l'ovaire. Il s'agissait du suivi à long terme des 66 940 infirmières volontaires de la fameuse « Nurse's Health Study » dont je parle souvent.

Au cours de ce suivi, 347 cancers de l'ovaire ont été diagnostiqués et la quantité de quercétine consommée quotidiennement a été nettement corrélée à une diminution du risque de développer ce cancer.

Dans une autre très belle étude, publiée en 2008, le docteur G. Bobe a étudié le lien entre consommation de quercétine et risque de développer un cancer du pancréas.

Il a suivi pour cela 27 111 volontaires mâles bien portants au départ, fumeurs et âgés de 50 à 69 ans.

Après un peu plus de seize ans de suivi, il a observé 306 cas de cancer du pancréas.

En regardant l'effet de la consommation de quercétine, il a constaté que celle-ci, si elle était importante, réduisait le risque de développer certains mauvais cancers, tels que le cancer du pancréas, de plus de 40 %.

Ces résultats d'ailleurs venaient confirmer ceux d'une étude antérieure, publiée par le docteur U. Nöthlings en 2007 et qui portait sur une cohorte de 183 518 volontaires d'Hawaï et de Californie, appelée la « Multiethnic Cohort Study ». Au cours du suivi de cette immense cohorte, 529 cas de cancer du pancréas ont été diagnostiqués. Et, là déjà, il était constaté qu'une forte consommation de quercétine réduisait le risque de cancer de pancréas de 45 %.

D'autres études encore ont montré la capacité de la quercétine à réduire le risque de cancer du rein, au moins chez les hommes fumeurs.

On le voit, la quercétine est vraiment intéressante et, je le crois, mérite tout à fait de faire partie de mes top 7.

6. Le thé vert

Le thé vert (davantage que le thé noir dont les feuilles ont subi une fermentation) est selon moi un des meilleurs antioxydants anticancer. Il exerce son action grâce à une série de molécules qu'il contient et que l'on appelle des « catéchines ».

Des catéchines très actives

Parmi ces catéchines, la plus abondante et en même temps la plus puissante est l'ECGC (ou épigallocatéchine gallate).

Ces catéchines sont extrêmement douées quand il s'agit d'essayer de prévenir certaines tumeurs malignes. Elles ont deux types d'actions capables d'interférer avec le développement d'un cancer.

Une de ces actions est assez classique et consiste à interférer avec les mécanismes à l'origine de la prolifération des cellules malignes, prolifération qui est à la base du processus malin puisqu'il conduit inévitablement à la croissance tumorale. L'ECGC est capable, ainsi, de provoquer le suicide (ou apoptose) des cellules cancéreuses. Elle peut aussi bloquer la fabrication des chromosomes qu'une cellule mère doit nécessairement fabriquer si elle veut pouvoir donner naissance à deux cellules filles (voir chapitre 2, p. 25, La biologie du cancer).

Ces mécanismes sont à vrai dire assez classiques et on les retrouve associés à la plupart des aliments anticancer.

Asphyxier les tumeurs cancéreuses

La particularité des catéchines du thé vert tient en fait à un autre mécanisme d'action qui leur est vraiment très spécifique : elles sont capables de bloquer la fabrication des vaisseaux sanguins dont la tumeur, en pleine croissance, a un besoin vital, provoquant l'asphyxie des cellules cancéreuses.

Je vous explique : le propre d'une cellule maligne, c'est de se diviser. On l'a vu, une cellule en donne deux, puis ces deux cellules en donnent 4, puis 8, 16, 32, 64, 128, etc.

Cette prolifération est infinie et explique la croissance inexorable des cancers et n'est limitée en fait que par la quantité d'énergie disponible pour nourrir cette descendance cellulaire démoniaque.

Cette énergie, apportée par le sang frais, est constituée d'oxygène et de sucre qui vont permettre à toutes ces cellules de manger et de respirer. Or ce sang frais est apporté jusqu'à la tumeur par des vaisseaux sanguins, les artères.

Seulement voilà, au fur et à mesure que la tumeur grossit, les besoins en sang frais augmentent et, très vite, les artères présentes au départ dans l'entourage du cancer ne sont plus suffisantes pour assurer ces besoins. Les cellules cancéreuses ont alors imaginé un stratagème extrêmement ingénieux et performant : en sécrétant des substances qu'elles ont appris à fabriquer, du fait de leur génie, elles vont attirer, détourner vers elles les vaisseaux situés à distance. De nouvelles branches de ces artères qui étaient destinées à irriguer d'autres organes vont naître et se diriger vers le cancer qui a soif et faim et qui a un besoin crucial de ce sang frais que ces nouveaux vaisseaux vont lui apporter. Cette technique qui consiste à attirer ces vaisseaux s'appelle l'« angiogenèse ».

Le thé vert possède cette capacité assez incroyable d'interférer avec ce mécanisme d'angiogenèse et de le bloquer. La tumeur, très vite, se retrouve en quelque sorte en état de « siège énergétique », comme si on avait coupé tous les *pipelines* qui assuraient son approvisionnement énergétique. Peu à peu la tumeur étouffe, souffre du jeûne qui lui est imposé et finit par mourir asphyxiée.

Comme on le voit, ces catéchines, l'ECGC au premier chef, sont donc des fantastiques candidates pour un effet anticancer.

Et c'est, en tout cas au moins en partie, ce que l'on va observer chez l'homme.

Des études cliniques convaincantes

Par exemple, dans le traitement des états précancéreux de la bouche. Une très belle étude a consisté à donner différentes doses d'extraits de thé vert à des patients porteurs de lésions à haut risque de transformation en véritable cancer ORL et à comparer l'effet de ces extraits à un placebo. Après 12 semaines, de nouvelles biopsies ont été réalisées. Les patients prenant les doses les plus élevées d'extraits avaient une amélioration significative de la biopsie dans 22 % des cas contre 9 % chez ceux ne prenant que le placebo. De même, l'examen clinique montrait une amélioration de 58,8 % des cas prenant la dose la plus forte d'extraits contre 18,2 % seulement pour le placebo.

Une autre très belle étude publiée en 2013 a regardé l'effet d'un extrait de thé vert chez des patients atteints de leucémie lymphoïde chronique.

Après six mois de traitement, 31 % des patients montraient une réduction de leurs globules leucémiques dans le sang. De plus, sur les patients qui avaient au départ des ganglions énormes, caractéristiques de cette maladie, la moitié (50 %) d'entre eux ont vu la taille de leurs ganglions régresser de façon spectaculaire.

Des effets réellement protecteurs observés

Une dernière étude et j'arrête de vous parler du thé vert. Cette étude, chinoise, a suivi en moyenne pendant onze ans 69 310 femmes non fumeuses, ne buvant pas. Au terme de ce suivi, 1 255 d'entre elles ont développé un cancer du tube digestif.

Ce résultat remarquable, c'est que quand on regarde le lien entre la consommation de thé vert et le risque de développer un cancer digestif, on constate qu'en moyenne les buveuses de thé vert ont un risque réduit d'environ de 15 % et qu'au mieux les grosses consommatrices de thé vert (plus de 2 à 3 tasses par jour) voient, elles, leur risque diminuer de 21 %, surtout vis-à-vis des cancers du côlon, de l'estomac et de l'œsophage.

Ces résultats vont d'ailleurs dans le même sens qu'une autre très belle étude où l'on a regardé si les individus qui avaient de fortes quantités de catéchines dans les urines, témoignant de leur consommation importante de thé vert, avaient moins de cancers de l'estomac ou de l'œsophage. Et là aussi les résultats sont extrêmement encourageants, puisque le risque de développer ces deux cancers, en tout cas chez les individus ne consommant pas trop, par ailleurs, de cette mauvaise vitamine A (voir p. 49), a été réduit de plus de 50 %.

Voilà pourquoi je place le thé vert parmi mes top 7 anticancer et que je le mélange aux six autres dans les compléments alimentaires que je prends.

7. Le brocoli

Le brocoli fait pour moi incontestablement partie des top 7 à côté de la grenade, du thé vert, du curcuma, de l'ail, du sélénium et de la quercétine.

Contrairement, aux autres produits de cette liste, le brocoli agit en matière de prévention du cancer d'une manière très spécifique, et très différente des autres.

Avant d'envisager ce mode d'action qui en fait un compagnon très utile dans les associations d'anticancers, davantage que comme aliment à prendre isolément, voyons un peu ce qu'il y a dans les choux de la famille des brocolis.

La grande famille des brocolis

En réalité, quand on parle de brocoli, on parle de plus de 120 légumes différents, dont la concentration en substances anticancer peut varier de 1 à 100 d'un chou à l'autre.

Il est donc particulièrement important d'essayer de se procurer les brocolis les plus riches en éléments anticancer.

Ces anticancers que j'affectionne particulièrement sont ce que l'on appelle des isothiocyanates.

En fait, dans ces choux, ces substances anticancer sont sous une forme de précurseur appelé glucoraphanine. Cette dernière doit être transformée en produit actif afin d'agir dans la prévention du cancer.

Cette transformation se réalise sous l'effet d'une enzyme présente aussi dans le brocoli, la myrosinase. Or cette myrosinase est très sensible à la chaleur et c'est pourquoi, les brocolis cuits à une température très élevée perdent l'essentiel de leurs vertus anticancer.

Mais rassurez-vous, dans votre intestin vous disposez d'une enzyme de secours, une autre myrosinase, capable elle aussi d'activer la fameuse glucoraphanine et de la transformer en sulforaphane qui possède donc l'activité anticancer.

Cela dit, l'absorption de ces substances, au niveau intestinal, n'est pas merveilleuse et cela limite un peu leur efficacité.

Heureusement, il a été parfaitement démontré que si vous mangez les brocolis peu cuits accompagnés de moutarde, de wasabi ou de radis noir ou de raifort, cette absorption va considérablement augmenter et avec elle, l'effet préventif du brocoli.

Une action anticancer multicarte

Alors, au tout début de ce chapitre, je vous ai laissé entendre que le brocoli agissait d'une manière un peu différente de ce que nous avons l'habitude de voir depuis que nous étudions ensemble les aliments susceptibles d'être « anticancer ». Je vais essayer de résumer ici ce dont il est question.

Tous les jours, à tout moment, nous mangeons, buvons, respirons, sommes recouverts de produits toxiques. Qu'il s'agisse de la pollution, des pesticides, des produits chimiques de toutes sortes, nous sommes en quelque sorte dans un véritable « état de siège » toxique.

Si l'organisme qui est le nôtre n'avait pas développé un système de protection, nous serions tous morts depuis longtemps.

Détendez-vous, notre corps a développé de très nombreux systèmes de protection et c'est pour cela que nous survivons à notre environnement pollué.

Parmi ces systèmes de protection, il y en a un qui est particulièrement efficace, en marche 24 heures sur 24, et qui consiste en un groupe d'enzymes hyperactives et vigilantes. Ces enzymes sont appelées « enzymes de phase II ». Elles, ce sont les gentilles. Elles stimulent la détoxification des substances cancérigènes qui pénètrent d'une manière ou d'une autre dans notre corps.

En plus, elles poussent ces substances cancérigènes à être éliminées plus rapidement. Donc, un truc tout bon pour nous. Et je vous le confirme, le sulforaphane contenu dans le brocoli active et stimule ces enzymes de phase II et contribue ainsi à nous protéger de tous ces carcinogènes présents autour de nous.

Mais, comme toujours, quand il y a des gentils il va y avoir des méchants !

Les méchants sont les enzymes de phase I. Elles, elles transforment certaines substances qui pénètrent dans notre organisme en substances cancérigènes. Et ça, comme vous pouvez le comprendre, ce n'est pas bon du tout pour nous.

Là encore, le brocoli vient nous aider car, en plus d'activer les bonnes enzymes de phase II, il inhibe, bloque remarquablement les mauvaises enzymes de phase I et donc la fabrication de produits cancérigènes.

En détoxifiant et en empêchant leur formation, le brocoli agit donc sur la prévention du cancer.

Mais, en plus de ce mécanisme très spécifique, le sulforaphane du brocoli agit aussi sur les cellules déjà cancéreuses. Il bloque la prolifération cellulaire empêchant les cellules malignes de se diviser. Il les pousse même à se suicider, ce que l'on appelle l'« apoptose ».

Vous le voyez, le brocoli, grâce au sulforaphane est une espèce d'anticancer « multicarte » : il agit aussi bien chez les bien-portants en prévenant le cancer que chez les gens qui ont déjà un petit cancer encore invisible, en ralentissant sa croissance.

Donc, c'est un produit assez génial !

Ce que montrent les études

Malheureusement, ce produit n'appartenant à aucun groupe industriel, personne n'a jamais réellement financé d'études chez l'homme.

Il n'y a, à ma connaissance, que deux études chez l'être humain publiées à ce jour dans les grandes revues scientifiques, en dehors d'une petite étude qui a regardé la tolérance du glucosinolate, le précurseur du sulforaphane et qui a conclu à son innocuité.

Dans la première étude, chinoise, les chercheurs ont constaté que, par rapport à des volontaires qui prenaient un placebo (un comprimé vide de substance active), les volontaires qui prenaient une infusion de brocoli avaient beaucoup moins de substances cancérigènes dans les urines, suggérant que le brocoli avait induit la stimulation des enzymes de phase II qui avaient détoxifié, rendu inoffensifs les carcinogènes présents dans leur alimentation.

Dans la seconde étude, 8 femmes devant être opérées des seins pour des raisons esthétiques ont avalé une bonne dose de sulforaphane une heure avant de passer sur la table d'opération.

Les auteurs de cette étude ont ensuite constaté la présence de ce sulforaphane dans les cellules mammaires prélevées au cours de l'opération.

Mais, là encore, même si je ne peux l'affirmer avec la force, la puissance de la science, j'ai le sentiment qu'avec le brocoli, nous avons un superproduit anticancer. Qu'il s'agisse du brocoli lui-même ou des substances qu'il contient, le glucosinolate, auquel il peut donner naissance, le sulforaphane.

CHAPITRE 6

Nos comportements : bons, mauvais ou à risque ?

Et si on faisait l'amour ?

Cette question est, je crois, particulièrement importante tant elle nous concerne tous et touche à une activité humaine tout à fait essentielle. Qu'il s'agisse d'hommes ou de femmes, d'activité sexuelle avec pénétration ou de masturbation, de sexualité homosexuelle ou hétérosexuelle, le sexe est omniprésent dans nos vies et se poser entre nous la question de savoir si le sexe augmente ou réduit notre risque de cancer n'est pas sans intérêt.

De très nombreuses recherches ont été effectuées sur ce sujet et nous allons les voir et les résumer ensemble dans ce chapitre.

Elles concernent trois organes impliqués dans la sexualité : la prostate chez l'homme, le sein chez la femme et la bouche en général.

Commençons par la prostate.

Excusez-moi, Mesdames...

Avoir des rapports sexuels joue-t-il un rôle dans notre risque, à nous les hommes, de développer un cancer de la prostate ?

La réponse dans sa forme la plus simple est oui.

Mais j'imagine que vous voulez en savoir plus !

Alors, allons-y, voyons cela un peu plus en profondeur.

Éjaculer est bon pour la santé

Les recherches sont nombreuses qui concluent sur le fait qu'à partir d'un certain âge, 50 ans en général, voire pour certaines études tout au long de sa vie depuis la puberté, plus on a d'éjaculations, plus le risque de cancer de la prostate diminue.

Prenons quelques exemples que vous pourrez raconter à vos amis.

Une très belle étude américaine, dans laquelle, 29 342 hommes de 46 à 81 ans qui ont répondu en 1992 à la question de la fréquence de leurs éjaculations, puis qui ont rempli le même questionnaire tous les deux ans jusqu'en 2000, a ainsi montré que les hommes qui ont plus de 21 éjaculations par mois ont 33 % de cancers de la prostate en moins comparés à ceux qui n'en ont que 4 à 7 par mois. Dans cette étude, ce résultat n'était vrai que pour les éjaculations chez les hommes de plus de 40 ans. Encore mieux. Ces chercheurs ont pu démontrer que chaque tranche de 3 éjaculations supplémentaires réduisait le risque de cancer de la prostate de 15 % en moyenne !

Une autre étude canadienne portant sur la comparaison de 1 079 patients atteints de cancer de la prostate avec 1 529 hommes sains et, à part cela en tout point identiques au groupe des malades, a conclu que ceux qui avaient au moins 5 éjaculations par semaine (équivalent aux 21 éjaculations par mois de l'étude précédente) présentaient une réduction du risque d'un tiers là aussi.

Enfin, pour ne citer que quelques-unes de ces études, le docteur J. S. Mandel publiait, il y a quelques années, que les hommes qui pratiquent un acte sexuel plus de 3 000 fois dans leur vie avaient moitié moins de cancers de la prostate que les autres.

Je crois qu'il est difficile, devant autant de données concordantes, même si, ici comme à chaque fois, il existe bien sûr aussi quelques résultats contradictoires, de ne pas se sentir persuadé que pour nous, les hommes, éjaculer est bon pour la santé.

Mais, de ce point de vue, la masturbation est-elle équivalente à l'éjaculation obtenue au cours d'un acte sexuel ?

En réalité, pas tout à fait.

La fréquence élevée de masturbations entre 20 et 40 ans aurait tendance à plutôt augmenter le risque de cancer de la prostate, ce phénomène disparaissant pour les masturbations effectuées après 50 ans.

Pourquoi et comment peut-on tenter d'expliquer cela ?

En fait, à chaque éjaculation, avec le sperme, la prostate se débarrasse de produits potentiellement cancérigènes comme les polyamines (putrescine, spermidine et spermine) par exemple. Cela, d'autant plus que généralement le volume de l'éjaculat (la quantité de sperme éjaculé) est plus important au cours d'un rapport sexuel avec pénétration qu'au cours d'une séance de masturbation. Et donc, là encore, la quantité totale de toxines évacuées sera plus grande dans le premier que dans le deuxième cas.

Éjaculer, oui, mais donc plutôt en faisant l'amour.

Et attention, pas moins de 3 000 fois dans sa vie !

L'activité sexuelle protège aussi les femmes

Et pour la femme, qu'en est-il du risque de cancer du sein ? Est-il influencé par son activité sexuelle ?

Indiscutablement, là aussi, la réponse est oui.

On savait depuis longtemps que les religieuses avaient beaucoup plus de cancers du sein que les autres femmes. Mais, pendant longtemps, tout le monde s'accordait à penser que cela était uniquement lié au fait que celles-ci n'avaient, en règle générale, jamais été enceintes et n'avaient jamais eu d'enfant. Or il était bien connu que le fait de ne pas avoir eu de grossesse menée à terme augmentait passablement le risque de développer un cancer du sein.

Mais, en réalité, un autre phénomène était également en jeu : l'absence de rapports sexuels.

Depuis, en effet, plusieurs études dont une très belle étude française publiée en 1989 par l'équipe de Catherine Hill, ont montré que les femmes ayant peu de rapports sexuels avec pénétration avaient jusqu'à trois fois plus de cancers du sein que celles qui avaient une vie sexuelle disons... bien remplie.

Mieux, le fait de diminuer la sensation liée au contact du vagin avec le pénis par l'utilisation d'un préservatif augmentait le risque de cancer du sein de façon nette par rapport aux pénétrations sans protection (que je ne recommande évidemment que dans un contexte de grande confiance mutuelle).

Dans une étude américaine publiée en 1998 par le professeur A. N. Giorgov, ce risque dans ce cas précis pouvant même être multiplié par 5 !

Je pense qu'un certain nombre de femmes qui vont me lire vont être un peu déçues, mais vraiment, j'ai eu beau chercher, je n'ai trouvé aucune explication que j'estime valable pour expliquer ce phénomène.

Cela dit, cela ne va pas être facile pour nous Français d'arriver à ces niveaux d'activité sexuelle puisque 73 % des Français déclaraient, en 2014, avoir moins de 2 actes sexuels par semaine. En fait, selon le sondage réalisé en 2014 par l'IFOP auprès de 9 850 personnes âgées de 18 ans et plus, *les Français, les deux sexes confondus, « ne font l'amour que 1,3 fois par semaine »*.

Et le sexe oral ?

Qu'en est-il enfin du risque de cancer de la bouche ?

La question peut être posée, non seulement parce que, à l'évidence et sans avoir besoin de faire un schéma, la bouche est un organe sexuel, mais surtout parce qu'on sait depuis 2006 que 50 à 70 % des cancers de la bouche sont liés à l'action cancérigène d'un virus, le papillomavirus ou HPV qui donne par ailleurs le cancer du col de l'utérus, de l'anus et du pénis.

Et, bien sûr, que ce virus s'attrape dans la bouche lors des rapports orosexuels, c'est-à-dire fellation et cunnilingus.

Ces pratiques sont comme on l'imagine extrêmement fréquentes puisque dans une étude américaine du US Center for Disease Control publiée en 2002 et portant sur 1 257 personnes interrogées, 90 % des hommes et 88 % des femmes ont confirmé pratiquer le sexe oral.

Et, pour faire simple, plus cette pratique est fréquente, notamment plus le nombre de partenaires différents est grand et plus le risque d'attraper un HPV cancérigène dans la bouche est élevé.

Cela est vrai aussi pour les cancers du col de l'utérus pour lesquels je ne saurais vous recommander assez le vaccin anti-HPV pour vos filles avant leurs premiers rapports sexuels.

Enfin, concernant la bouche, une bonne nouvelle : les partenaires de malades atteints de cancer de la bouche lié à une contamination par un HPV n'ont pas plus de risques de cancer.

Rôle de la vitamine B6 et de la méthionine

Dans une récente étude publiée en 2010, dans la célèbre revue *JAMA*, l'équipe de Paul Brennan de l'Agence internationale de recherche sur le cancer arrive à la conclusion que les gens qui ont les taux sanguins les plus élevés de vitamine B6 et de méthionine sont ceux qui ont le moins de risques de développer un cancer du poumon, et ce, qu'ils fument, qu'ils aient fumé ou qu'ils ne l'aient jamais fait !

Deux anticancers naturels

En fait, l'étude reprend la célèbre cohorte EPIC dont nous parlons souvent dans ce livre, forte de 519 978 volontaires dont 385 747 d'entre eux avaient accepté de donner un peu de leur sang au début de l'étude.

À l'issue de leur suivi, en 2006, 899 cancers du poumon avaient été diagnostiqués parmi eux.

Les chercheurs ont alors regardé le lien entre la vitamine B6, la méthionine et le risque de cancer du poumon.

Le résultat est sans appel : par rapport à ceux qui avaient les taux les plus bas, ceux qui avaient les taux les plus élevés de vitamine B6 comme de méthionine avaient un risque de cancer du poumon diminué de 56 % ! Énorme !

Et ce, encore une fois, qu'il s'agisse de fumeurs et ex-fumeurs, ou de non-fumeurs.

Cela n'a rien d'étonnant quand on sait que la vitamine B6 et la méthionine sont deux substances fondamentales dans le maintien de l'intégrité de l'ADN de nos chromosomes, luttant ainsi contre l'apparition de mutations ou d'autres altérations de nos gènes susceptibles d'entraîner l'apparition de cancers.

Faites votre marché

De ces deux substances, la vitamine B6 que l'on trouve dans les haricots, les graines, les céréales surtout complètes, mais aussi les volailles, la viande, le poisson et les fruits et légumes, avait déjà montré son intérêt dans la prévention des cancers du côlon.

Mais rien n'avait jamais été démontré pour la méthionine que l'on trouve, elle, essentiellement dans les protéines animales, les noix et les graines végétales.

Tableau 10. Les sources de vitamine B6

Vitamine B6	(mg/100 g)
Levure alimentaire	2,6
Germe de blé	1,9
Ail frais	1,18
Escalope de veau	0,72
Noix	0,64
Maquereau	0,62
Dinde	0,59
Bœuf	0,5
Farine de sarrasin	0,4
Riz rouge cuit	0,4

Source : https://pro.anses.fr/TableCIQUAL/index.htm

Tableau 11. Les sources de méthionine

Méthionine	g/100 g
Blanc d'œuf	2,7
Morue	1,8
Farine de sésame	1,6
Soja	1,1
Parmesan	1,1
Noix	1
Bœuf	0,9
Volaille	0,9
Yaourt	0,1
Avocat	0,03

Source : USDA, http://ndb.nal.usda.gov/ndb/nutrients/report/utrients frm?max=25&offset=0&tot Count=0&nutrient1=506&nutrient2= &nutrient3=&subset=0&fg=&sort=c&measureby=g

Le vin : buvons un verre !

S'il y a bien un sujet qui fait débat ces derniers temps, c'est bien celui du lien entre consommation de vin et risque de cancer. Je dis bien : du vin.

En effet, disons-le tout de suite : l'alcool, c'est-à-dire en fait les alcools forts provenant de la distillation, est lui très probablement mauvais pour la santé, notamment en raison de son potentiel cancérigène.

Mais qu'en est-il du vin ?

C'est-à-dire une boisson qui, d'une part, ne contient que très peu d'alcool (8 à 16 %), mas qui contient surtout, d'autre part, de très nombreux autres composants naturels, au premier chef desquels se trouvent les polyphénols et notamment le resvératrol.

Cela n'est pas neutre, car pratiquement toutes les études faites au laboratoire ou sur des animaux ont montré que le resvératrol et les autres polyphénols du vin étaient de très puissants et très efficaces antioxydants capables de protéger nos cellules contre le cancer.

Alors, qu'en est-il en réalité du lien entre consommation de vin, et je parle exclusivement de vin, et risque de cancer ?

Tout est question de quantité

Là encore, de la même manière que nous avons distingué les différentes sortes de boissons alcoolisées, en séparant le vin riche en antioxydants anticancer et les alcools forts, il me semble qu'il est tout aussi fondamental de ne pas traiter de la même manière le fait de boire du vin modérément, du fait de boire de façon excessive, à la recherche de l'ivresse et de ses méfaits.

Bien évidemment, n'attendez pas que je défende ici cette consommation excessive, qu'il s'agisse d'une addiction alcoolique régulière ou de ce que l'on appelle le *binge drinking* et qui correspond à des beuveries brutales et sans limites, capables d'entraîner de très graves conséquences sur la santé des jeunes qui s'y adonnent.

Non, parlons ici de ceux qui boivent entre un et deux (pour les femmes) ou trois (pour les hommes) verres de vin par jour, sans d'ailleurs qu'il soit nécessaire de boire systématiquement tous les jours.

Cette consommation que l'on a l'habitude de qualifier de modérée, augmente-t-elle le risque de développer certains cancers ou, pourquoi pas, à l'inverse d'assurer une certaine forme de protection à travers un éventuel effet bénéfique de ses antioxydants ?

En d'autres termes, et comme cela a été annoncé, il y a deux ou trois ans, par quelques ayatollahs antialcool, le vin est-il cancérigène dès le premier verre ?

Il existe dans la littérature scientifique sérieuse, de très nombreuses études qui comparent le risque de cancer soit entre buveurs excessifs et buveurs modérés, soit entre abstinents et buveurs modérés.

Concernant le premier cas, on peut dire que l'immense majorité de ces études confirme le fait, assez évident par ailleurs, qu'une consommation excessive augmente le risque de très nombreux cancers : seins, côlon, œsophage, bouche, foie ou autres.

Mais la vraie question, en tout cas, la seule qui réellement m'intéresse, est de savoir si une consommation modérée augmente aussi ce risque par rapport à un non-buveur.

Alors, c'est vrai, qu'une ou deux études publiées récemment sont allées dans ce sens.

Le vin néfaste dès le premier verre ?

La plus importante d'entre elles, celle qui a provoqué cette avalanche d'affirmations selon lesquelles le vin serait cancérigène dès le premier verre a été publiée par un chercheur américain d'Oakland en Californie, le professeur Arthur L. Klatsky. Il s'agissait d'une étude portant sur 129 987 volontaires (ce n'est pas rien, plus de 129 000 volontaires) suivis de 1978 à 2008 (trente ans !) ; interrogés sur leur consommation habituelle d'alcool. Sur la base de leur déclaration, ils furent répartis en quatre groupes : les ex-buveurs, ceux qui boivent moins d'un verre par jour, ceux qui boivent 1 à 2 verres par jour et enfin, ceux qui consomment 3 verres ou plus par jour.

Au cours de cette longue période d'observation, 15 080 de ces volontaires ont développé un cancer.

Dans un premier temps, le professeur Arthur L. Klatsky publie ses analyses et affirme que le risque de développer un cancer augmente significativement à partir du groupe qui ne boit qu'un verre de vin par jour.

Stupeur dans le monde du cancer !

Pourquoi ?

Mais parce que ces résultats montraient le contraire de ce que le plus élémentaire des bons sens nous laissait penser. En effet, si le vin donnait le cancer dès le premier verre, tout le monde aurait un cancer et, d'une façon plus globale, l'humanité n'aurait probablement pas survécu à sa propre histoire tant la consommation de vin a toujours été présente dans notre histoire.

Mais les résultats étaient là, apparemment indiscutables et certains, trop heureux d'attaquer encore une fois la consommation de vin, prônant un monde sans viticulteurs et sans vin, se sont empressés d'affirmer dans les médias cette nouvelle incroyable et invraisemblable : le vin est cancérigène dès le premier verre !

Seulement voilà, le professeur Arthur L. Klatsky est un grand chercheur, doté d'une éthique magnifique et qui préférera avouer publiquement ses erreurs que de laisser traîner sous son nom, une étude biaisée.

En effet, que s'est-il passé par la suite, quelque temps après sa retentissante publication ?

Un peu par hasard, il va découvrir que certains des volontaires qui avaient déclaré ne boire au plus qu'un verre de vin par jour avaient, en fait, soit été hospitalisés dans le passé pour coma éthylique, ou arrêtés pour conduite en état d'ivresse ou d'autres éléments étaient apparus permettant très sérieusement de douter de la véracité de leur déclaration relative à leur consommation d'alcool.

En réalité, le professeur Klatsky constatait qu'une partie des très petits buveurs de son étude étaient en fait de gros buveurs qui, pour de multiples raisons, n'avaient pas dit la vérité et sous-déclaré leur consommation réelle.

Cela changeait tout !

Avec courage et honnêteté, il décida de reprendre complètement son étude et de soustraire du groupe des tout petits buveurs, ceux de ces volontaires dont il n'était pas sûr et certain de leur réelle consommation d'alcool.

Et alors, là...

Ces buveurs modérés n'avaient pas plus de risque de se voir diagnostiquer un cancer que ceux qui ne boivent pas du tout !

Le vin, en quantité modérée, n'est pas cancérigène

Au congrès mondial de cancérologie à Vienne en septembre 2012, le professeur Klatsky est venu faire un *mea culpa* et a, en racontant son histoire, confirmé que le vin n'était absolument pas cancérigène dès le premier verre, ni même d'ailleurs pour ceux qui en consomment deux verres par jour.

Seulement, malheureusement, les médias n'ont pas du tout repris cette information et il n'est pas rare de lire ou d'entendre ici ou là, cette affirmation sans fondement que le vin serait néfaste à la santé dès la première gorgée.

Au contraire, même, bien que la prévention cardio-vasculaire ne fasse pas l'objet de ce livre, toutes les études confirment qu'une consommation modérée de vin rouge réduit de façon significative le risque de mortalité par maladie cardio-vasculaire.

Depuis, des dizaines d'autres études extrêmement sérieuses au plan scientifique ont montré qu'une consommation modérée de vin n'augmentait pas (voire dans certains cas réduisait même) le risque de cancer de l'utérus (endomètre), de l'ovaire, du rein, de la moelle, des ganglions, de l'œsophage (pour un certain type de cancer, le plus fréquent, que l'on appelle adénocarcinome), des ganglions et des voies aérodigestives supérieures (plus ou moins les cancers de la sphère ORL).

Alors, soyez rassurés, boire un ou deux verres de vin par jour, surtout du « bon vin » élaboré par des viticulteurs respectueux de la nature et donc sans trop d'herbicides et de pesticides chimiques, ne vous donnera pas le cancer !

Boire du café

Le café est l'une des boissons les plus consommées au monde.

Sa consommation varie de 2 kg (Angleterre) à 12 kg (Finlande) par habitant et par an. La consommation française est de l'ordre de 5 kg par an et par personne. Il est consommé en Europe depuis près de quatre siècles.

Il existe bien sûr sous plusieurs formes : avec ou sans caféine, soluble ou en grain ou moulu, en capsule aujourd'hui, que celles-ci soient en aluminium ou en plastique.

Il contient de très nombreuses substances dont certaines peuvent avoir de véritables effets biologiques.

La plus connue d'entre elles est bien évidemment la caféine. C'est elle qui stimule et parfois (malheureusement ou pas) nous empêche de dormir. C'est un très puissant cardio- et neurostimulant, capable à forte dose, d'entraîner des tachycardies (accélération du rythme cardiaque) et même des malaises chez les individus particulièrement sensibles.

Plusieurs molécules intéressantes

La liste des molécules contenues dans le café ne s'arrête pas à la caféine qui, en soi, n'a jamais montré aucune influence sur le risque de cancer. Il y en a bien d'autres qui nous intéressent. Il s'agit notamment de l'acide chlorogénique, de l'acide caféique et surtout de la hydroxyl hydroquinone ou HHQ.

Cette dernière est sans doute le composé le plus important de la matière solide du café, le marc.

Ses propriétés potentiellement anticancer sont très importantes, car le HHQ est capable de provoquer le suicide des cellules cancéreuses !

Il a une tendance naturelle à venir se fixer sur certains récepteurs présents à la surface des cellules cancéreuses, dont celles-ci se servent pour stimuler leur croissance et leur prolifération. En se fixant, le HHQ non seulement bloque ce récepteur et inhibe donc la multiplication des cellules malignes, mais ce faisant il provoque en fait le mécanisme appelé « apoptose » (cf. *Le Vrai Régime anticancer*) et qui correspond à un véritable suicide des cellules cancéreuses. Qui pourrait imaginer, en prenant son petit café le matin, que cette délicieuse gorgée de café chaud allait combattre ainsi les cellules cancéreuses qui seraient en train de se développer à bas bruit dans notre corps ?

Mais si cela est vrai expérimentalement, avons-nous des preuves pour autant, que ça marche chez l'homme ?

Des résultats contrastés

De très nombreuses études ont été publiées, surtout au cours des dix, quinze dernières années sur le lien, en situation clinique, chez l'homme, « en vrai » en quelque sorte, entre consommation de café et risque de cancer.

Et je dois dire qu'il n'est pas facile d'y voir clair même s'il ressort d'une lecture approfondie de toute cette montagne d'informations que le café, consommé de façon disons importante (plus de 4 tasses par jour) est certainement anticancer. C'est même, pour certains types de cancers, un très puissant agent préventif dont il faut, sans aucun doute, promouvoir la consommation.

Mais, on va le voir aussi, pour les cancers du poumon, le café pourrait au contraire augmenter pour autant, très modérément, ce risque.

Cependant, il faut comprendre que le fait de boire du café, notamment chez l'homme est aussi très généralement associé à une plus grande consommation de tabac et d'alcool.

Généralement aussi, les hommes gros buveurs de café font moins de sport et consomment moins de fruits et de légumes. Toute une série de facteurs qui, directement ou indirectement, participent à augmenter aussi leur risque de ce cancer.

Donc, avant de parler du rôle préventif du café, donnons à nos amis fumeurs un petit conseil : pas trop de café pour vous. Surtout s'il y a des cancers du poumon dans votre famille. Cependant, bonne nouvelle, la consommation de café décaféiné réduirait, elle, ce risque. Même chez les fumeurs.

Et pour les autres, qu'en est-il ?

Eh bien là, au contraire, on va voir que le café est l'un des meilleurs anticancéreux !

Protecteur du cancer du foie

De très nombreuses études, par exemple, ont montré que la consommation élevée de café réduisait de près de 50 % (!) le risque de développer un cancer du foie.

Même si la définition de consommation élevée varie d'une étude à l'autre, elles arrivent toutes à la même conclusion.

L'une, italienne, portant sur 3 153 cas de cancers du foie, indique que les buveurs de plus de 3 tasses par jour ont un risque diminué de 50 à 61 %.

L'autre, coréenne, étudiant 258 patients atteints de ce cancer redoutable, arrive à la conclusion que ceux qui ont bu plus de 20 000 tasses dans leur vie ont un risque réduit de 44 %.

Une autre encore, regroupant l'étude de 16 publications sur le sujet pour lesquelles la notion de « buveur de café » varie de 1 à 5 tasses par jour, montre une réduction de 62 % du risque du cancer du foie chez les hommes et 40 % chez les femmes.

Enfin, pour ne citer que la dernière en date, publiée en avril 2014 par une équipe de l'Université de Californie du Sud, une très belle étude de suivi d'une immense cohorte de 179 890 Américains des deux sexes, pendant dix-huit ans, est arrivée à la conclusion que ceux qui buvaient 1 à 3 tasses par jour avaient un risque de cancer du foie réduit de 29 % par rapport à ceux qui buvaient moins de 6 tasses par semaine (soit moins d'une par jour). Cette réduction du risque atteignait même les 42 % pour ceux qui en buvaient plus de 4 tasses par jour.

Donc, résumons-nous, le café est très, très bon en matière de prévention du cancer du foie. Rappelez-vous que ce cancer, de plus en plus fréquent en France, est extrêmement redoutable.

Des effets positifs pour le cancer du sein

Parlons du cancer du sein. Comme vous le savez, et je le dis plusieurs fois dans ce livre, c'est le cancer le plus fréquent chez la femme et il continue d'être la première cause de mortalité par cancer chez elles avec 11 000 morts par an.

Sur ce sujet, il faut admettre que les innombrables études (près de 200 !) n'arrivent pas toutes aux mêmes résultats. Certaines disent que le café protège et d'autres qu'il est soit neutre vis-à-vis de ce cancer, soit, rarement il est vrai, qu'il pourrait augmenter le risque.

Cependant, toutes ces études prises individuellement sont extrêmement petites, limitées, et pour la plupart n'ont pas la puissance pour arriver à une véritable conclusion.

Deux groupes de chercheurs ont regardé les résultats obtenus en regroupant un grand nombre de ces études pour augmenter ainsi la puissance de déduction, ce que, en médecine, on appelle des « méta-analyses ».

L'une publiée en 2009 a regroupé au total 25 250 cas de cancer du sein et l'autre, plus récente, car publiée en 2013, a compilé un total de 49 497 cas de cancer du sein.

Il est évident qu'avec des chiffres pareils, la puissance de déduction de ces études devient considérable et donc leur capacité à détecter un lien éventuel avec la consommation de café.

Eh bien, sachez-le, les deux études arrivent à la même conclusion : le fait de boire beaucoup de café (généralement plus de 3 tasses par jour) réduit de près de 20 % le risque de cancer du sein dans la forme la plus agressive, celle ou les cellules cancéreuses sont insensibles aux hormones (ce sont des cancers de bien moins bon pronostic et qui viennent généralement chez des femmes plus jeunes).

Ces 20 % ne sont pas négligeables, car souvenez-vous, le cancer du sein est extrêmement fréquent.

Si vous me demandez comment ça marche, je serais bien embarrassé pour vous répondre, car, à la vérité, nous n'en savons rien. Mais, ce que nous savons, par contre, c'est qu'à part l'effet sur le suicide des cellules cancéreuses (apoptose) dont on a parlé, le café, on le sait, provoque une élévation du taux d'entérolactone dans le sang et on sait également que celui-ci est un phyto-œstrogène qui diminue le risque de cancer du sein insensible aux hormones femelles.

De bons résultats aussi pour le cancer ORL

Il y a trois autres cancers dont j'aimerais vous parler et pour lesquels, là encore, le café a un rôle protecteur majeur. Étonnamment, j'imagine pour vous, le premier de ceux-là est le cancer ORL.

Plusieurs études de grande qualité sont arrivées à la conclusion qu'une forte consommation de café (bien sûr en tenant compte du tabagisme éventuel associé) réduisait de façon importante le risque de développer un cancer de la sphère ORL.

Par exemple, pour n'en citer que deux, une étude de l'Université d'Utah, aux États-Unis, portant au total sur la comparaison de 5 139 cas de cancers ORL avec 9 028 sujets sains pris comme témoins, a montré, chez les buveurs de plus de 4 tasses par jour, une réduction de 39 % du risque. Une autre étude, de suivi de cohorte, celle-là réalisée à Atlanta aux États-Unis, et publiée en 2011 a suivi à partir de 1982, 968 432 hommes et femmes volontaires (cette cohorte s'appelle la « Cancer Prevention Study II »).

Au cours de ces vingt-six longues années de suivi, 868 personnes sont mortes de cancer ORL. Quand on a regardé si celles-ci buvaient plutôt plus ou plutôt moins de café que celles qui n'étaient pas mortes de ce cancer, on a constaté que les buveurs de plus de 4 tasses par jour avaient un risque réduit de 49 %. Et cela était même vrai pour ceux qui buvaient du décaféiné.

Pour vous, Messieurs

L'autre cancer pour lequel le café a une action intéressante est le cancer de la prostate.

Je vous rappelle que, comme le sein chez la femme, le cancer de la prostate est très fréquent chez l'homme avec près de 60 000 nouveaux cas par an en France et près de 11 000 morts.

Comme beaucoup de cancers, celui-là, correspond en réalité à une maladie très hétérogène avec des formes très légères qu'il ne faut d'ailleurs même pas traiter et des formes très agressives au contraire et dont le pronostic reste très sombre.

Là encore, la plupart des études arrivent à la conclusion que, un peu comme nous l'avons vu pour les cancers du sein insensibles aux hormones qui sont les formes les plus agressives, dans le cancer de la prostate, la consommation importante (plus de 4 à 5 tasses par jour) réduirait de façon nette, de l'ordre de 50 % le risque de se voir diagnostiquer une forme agressive et dangereuse de ce cancer.

Enfin, le dernier de ces trois cancers, de façon assez surprenante, est le mélanome malin. Le mélanome malin est ce cancer de la peau qui ressemble à un grain de beauté. Il est de plus en plus fréquent à cause de notre tendance malheureuse à exposer nos enfants au soleil dès leur plus jeune âge. À titre d'exemple, il y avait 1 cas pour 1 500 habitants aux États-Unis, en 1935 et 1 cas pour 75 habitants à peine soixante-cinq ans plus tard, en 2000. Un nombre de cas qui double pratiquement tous les dix ans !

Or ce cancer est l'un des plus redoutables puisque lorsqu'il mesure seulement 4 mm d'épaisseur, il entraîne déjà près de 50 % de mortalité à dix ans.

Plusieurs études semblent indiquer que, là aussi, la consommation d'au moins une tasse par jour de café réduirait le risque de développer ce cancer de près de 50 %, une diminution tout sauf anecdotique quand on parle d'un cancer aussi préoccupant.

Au total, buvez du café

Qu'en est-il des autres cancers ? En réalité, pour les autres localisations tumorales, rien n'est vraiment clair. Il pourrait y avoir là encore, un effet protecteur dans les cancers du côlon, de l'endomètre ou même du rein mais les preuves scientifiques ne sont pas, à mon sens, suffisamment convaincantes pour que je vous en parle dans ce livre de vérité.

Au total donc, si vous n'êtes pas vraiment un gros fumeur et encore plus si vous n'avez pas d'antécédents familiaux de cancer du poumon, buvez du café ! Buvez beaucoup de café s'il ne vous donne pas de palpitations.

Moi, j'en bois, je dois le reconnaître au moins quatre fois par jour et la lecture approfondie de tout ce qui a été publié à ce sujet et que je vous ai résumé dans ce chapitre, m'a rassuré et convaincu dans l'idée que c'était bon pour ma santé.

Apnée du sommeil : vigilance

Très récemment, une équipe australienne a rapporté les résultats d'une étude portant sur 397 hommes atteints du fameux syndrome de l'apnée du sommeil. Pendant vingt ans, des chercheurs ont observé chez ces participants le risque d'avoir ou, pire encore, de mourir d'un cancer. Les résultats sont sans appel.

Un vrai risque...

Les hommes présentant un syndrome d'apnée du sommeil ont un risque de mourir du cancer multiplié par 3,4. Deux autres études étaient déjà arrivées aux mêmes conclusions. L'une avait montré que les hommes atteints d'une forme légère de ce syndrome (entre 5 et 15 arrêts respiratoires par heure) avaient un risque de mourir du cancer multiplié par 2,5. Plus grave encore, il a été observé que ceux qui souffraient d'une forme plus sévère d'apnée du sommeil avaient un risque de mourir de cancer multiplié par 4,8 (soit 480 % d'augmentation).

L'autre étude espagnole, sous la direction du docteur Campos-Rodriguez, a analysé 4 910 patients espagnols souffrant de ce syndrome. Cette équipe a également constaté que l'existence de cette apnée du sommeil était parfaitement corrélée au risque de développer un cancer.

Naturellement, il va sans dire que, dans toutes ces recherches, les auteurs avaient pris soin de faire des comparaisons en tenant compte de tous les autres facteurs de risque de cancer et avant tout de la présence éventuelle d'une obésité.

... à ne pas négliger

Bon, je vais vous dire la vérité : même si l'apnée est vraiment un facteur de risque important vis-à-vis du cancer, personne ne sait trop pourquoi.

Des études chez l'animal, au laboratoire, ont certes montré que le fait d'avoir un sang mal oxygéné, ce qui est la conséquence inévitable de l'apnée du sommeil, si elle n'est pas bien traitée, pourrait stimuler la croissance des cellules cancéreuses.

Mais, s'agit-il là du phénomène responsable du lien entre apnée du sommeil et cancer ? Rien n'est à ce stade certain et nous serons probablement obligés d'y revenir dans un prochain livre, au fur et à mesure des découvertes qui ne manqueront pas de venir nous éclairer sur ce sujet passionnant. En attendant, un conseil : si vous souffrez de ce syndrome, soignez-vous !

Dormir... mais pas trop

Allez le croire ou non, une grande étude réalisée dans la très renommée faculté de médecine Harvard aux États-Unis, par le docteur Xuehong Zhang, a récemment démontré que l'excès de sommeil, notamment chez les gens en surpoids et surtout s'ils ont tendance à ronfler, augmentait en effet le risque de développer un cancer du côlon et du rectum.

Cette étude très sérieuse a porté sur 30 121 hommes âgés de 41 à 79 ans, tous professionnels de santé et 76 368 femmes toutes infirmières âgées de 40 à 73 ans.

Ces deux cohortes d'individus sains au départ ont été suivies pendant vingt-deux ans. À l'arrivée, 1 973 cancers colorectaux ont été diagnostiqués, 709 chez les hommes et 1 264 chez les femmes.

Trop dormir comporte des risques

Si l'on regarde plus précisément s'il existe un lien entre la quantité de sommeil et le risque de voir apparaître un cancer, on trouve que les individus qui dorment plus de 9 heures par nuit en moyenne ont 11 % (pour les femmes) à 35 % (pour les hommes) plus de chances de développer ce type de cancer que ceux qui dorment moins de 7 heures par nuit. Les choses deviennent encore plus évidentes si vous tenez compte, en plus du poids, de l'existence d'un ronflement. Alors là, tenez-vous bien et

avis aux ronfleurs un peu gros (les deux vont souvent ensemble !), voilà les chiffres, ils sont édifiants.

Le ronflement doit alerter

Les hommes gros dormeurs (+ 9 heures) qui ronflent ont un risque augmenté de 80 %.

Les femmes grosses dormeuses qui ronflent ont, elles, un risque multiplié par 2,32 !!!

Le surpoids augmente lui aussi ce risque, bien que dans une moindre mesure puisque les gros dormeurs en surpoids (IMC, indice de masse corporel, supérieur à 25, voir définition p. 251) ont 52 % d'augmentation du risque pour les hommes et 37 % pour les femmes. Comment expliquer ce phénomène ?

Manque d'oxygène et surpoids

Pour dire la vérité, ni moi ni le docteur Zhang n'en avons la moindre idée. On peut simplement évoquer deux hypothèses.

D'une part, le rôle de la baisse du taux d'oxygène dans le sang (hypoxie) fréquente chez les ronfleurs et les obèses durant leur sommeil (apnée du sommeil). Cette baisse pouvant interférer avec le développement tumoral. Mais, il ne s'agit là que d'une hypothèse.

Soit, et cela, par contre, a été bien prouvé dans de nombreux cancers différents, l'obésité, surtout chez les individus, qui font peu d'exercice physique (et c'est souvent le cas chez les gros dormeurs) peut contribuer à stimuler la croissance des cellules tumorales.

Alors attention, car le cancer colorectal est le troisième cancer, le plus fréquent dans les pays développés !

Suivez mon conseil, faites comme moi, ne dormez pas trop et surveillez votre poids. Et participez au programme de dépistage du cancer colorectal que j'ai mis en place lorsque je présidais l'Institut national du cancer.

La cigarette électronique, un moindre mal

Comme je l'indiquais au début de ce livre, je suis intimement convaincu que la meilleure façon de vaincre le cancer et toutes les souffrances qu'il engendre chez les patients ainsi que dans leurs familles, c'est tout simplement d'en prévenir les causes. C'est la raison pour laquelle j'ai tant insisté sur la place centrale que la prévention devrait avoir dans notre système de santé. C'est la raison pour laquelle je ne peux évidemment que déplorer qu'elle demeure le parent pauvre des politiques de santé publique menées depuis des décennies en France.

Face à ce constat, que pouvons-nous faire ? Est-il possible d'agir individuellement, chacun à notre échelle ? Le meilleur acteur de la prévention, n'est-ce pas en définitive l'individu lui-même ?

Avancer cette idée permet tout de suite d'allumer chez chacun d'entre nous une lueur d'espoir et nous évite de tout attendre des autorités de santé. Cela pourrait ouvrir de nouvelles perspectives qui devront reposer sur des choix éclairés et des changements des comportements individuels. Mais quels sont les outils dont nous disposons réellement pour prévenir l'apparition du cancer ?

Prenons un exemple concret.

Objet fumant non identifié

Plus personne aujourd'hui ne conteste la corrélation établie entre le tabagisme et le cancer du poumon, même si les processus de déclenchement de cette pathologie demeurent complexes. Si l'on envisage les choses simplement, on pourrait alors considérer qu'il suffit de ne pas fumer pour éviter de contracter un cancer du poumon. Cette première hypothèse permettrait d'exclure *a priori* de ce risque la part de la population qui ne fume pas. Ce qui, bien évidemment, n'est pas vrai.

Cependant, ce qui nous intéresse ici, ce sont bien les fumeurs qui sont les plus exposés au risque de cancer dont je parlais plus haut. Pour eux, une approche simpliste consisterait à considérer qu'il leur suffit d'arrêter de fumer. Après tout, n'est-ce pas finalement qu'une affaire de volonté ? Les « rescapés » du tabac seraient ceux qui ont su vaincre cette addiction par la seule force de leur volonté, les autres ne seraient que des gens faibles qui ne parviennent pas à « décrocher » du tabac. Cette vision n'est pas acceptable pour le praticien que je suis, qui se doit de comprendre ses patients, non de les culpabiliser.

Dans le cas du tabac, et ce jusqu'à une date récente, le problème était le suivant : on était fumeur ou on était non-fumeur. Cette vision binaire et basique s'était imposée et semblait satisfaire amplement les autorités sanitaires. En effet, dès lors qu'il n'existait aucun produit de substitution au tabac, soit vous étiez fumeur, soit vous ne l'étiez pas. Impossible d'opter pour une cigarette moins dangereuse, alors que les consommateurs peuvent en revanche trouver dans le commerce des produits contenant de l'aspartame pour remplacer le sucre par exemple, dans la lutte contre le surpoids et l'obésité.

Mais un objet nouveau est apparu sur ce terrain ces dernières années, que l'on pourrait qualifier d'objet fumant non identifié tant il est vrai qu'à l'instar des pouvoirs publics, nombre de médecins ne savent quelle attitude adopter à son égard. Il est frappant de voir que personne ne sait vraiment pas par quel bout le prendre !

Une petite révolution culturelle pour les fumeurs

Vous l'aurez sans doute compris, je veux évoquer ici le cas de la cigarette électronique.

En effet, à bien des égards, elle représente une vraie révolution culturelle tant dans les habitudes des consommateurs que dans l'approche qu'elle est en train d'imposer aux autorités de santé publique. Enfin, il a été inventé un produit de substitution au tabac qui a fait défaut si longtemps aux fumeurs ! Cette alternative était attendue depuis longtemps et il semblerait qu'elle permette d'une certaine façon de résoudre la quadrature du cercle, puisque à présent on peut arrêter de fumer tout en gardant une gestuelle proche de l'acte de fumer et en évitant les désagréments ou insatisfactions que les patchs nicotiniques par exemple provoquent.

Désormais, on peut « vapoter ».

Je pense que nous n'avons pas encore assez de recul pour mesurer le défi posé par la cigarette électronique, ou la « vapoteuse » comme l'appellent ses adeptes. À en juger par le nombre toujours croissant d'utilisateurs, il semblerait bien que nous soyons devant un défi d'une ampleur rarement égalée.

Jugez plutôt. L'enquête annuelle publiée en février 2014 (sur la base des données de l'année 2013) par l'Observatoire français des drogues et toxicomanies (OFDT) est très éloquente. Chaque année, l'OFDT fait le point sur la consommation de produits addictifs au sein de la population française, y compris le tabac. Grande première pour l'année 2013, dans la mesure où l'OFDT a décidé de consacrer tout un chapitre de son rapport annuel à la cigarette électronique ! C'est dire l'ampleur du phénomène de la cigarette électronique sur lequel on ne peut plus faire l'impasse et dont l'essor est désormais confirmé par les chiffres : près de 10 millions de personnes en France l'auraient essayée en 2013 et près de 2 millions seraient des utilisateurs quotidiens. Parmi eux, environ la moitié serait des « vapofumeurs », c'est-à-dire des gens qui alternent cigarette traditionnelle et cigarette électronique.

Ces chiffres sont tout bonnement hallucinants !

Toutefois, et au risque de passer pour un trouble-fête, il m'est impossible de ne pas souligner le manque d'encadrement de ce « produit miracle » (pour ses défenseurs et utilisateurs) qu'est la cigarette électronique. Songez qu'à l'heure où j'écris ces lignes, il n'existe pas à ma connaissance le moindre statut juridique spécifique pour la cigarette électronique. La réglementation la classe dans la catégorie des produits de consommation courante, comme votre smartphone ou votre four à micro-ondes par exemple ! Pour l'instant, la ministre de la Santé définit la cigarette électronique par défaut en indiquant ce qu'elle n'est pas : elle a ainsi déclaré récemment à l'Assemblée nationale que « la cigarette électronique a un statut particulier, ce n'est ni un produit du tabac ni un médicament de sevrage ». Mais la ministre ne définit pas pour autant ce « statut particulier ». Le gouvernement s'est donc contenté pour le moment d'interdire la vente de la cigarette électronique aux mineurs de moins de 18 ans, et c'est tout.

Cela ne peut manquer de susciter chez moi des interrogations profondes, voire des doutes sérieux.

Un danger moindre, mais beaucoup d'incertitudes

Mes doutes se fondent tout d'abord sur le manque de connaissance que nous avons non seulement au sujet de la composition réelle des e-liquides qui se trouvent dans la cigarette électronique, mais aussi sur les propriétés techniques des appareils qui vaporisent ces e-liquides. La quasi-totalité de ces appareils provient de Chine où ils sont fabriqués, ce qui pose des problèmes quant à leur traçabilité complète et précise. Les e-liquides sont de plus en plus nombreux à être fabriqués en France et semblent offrir des garanties de sécurité plus importantes.

Il n'en demeure pas moins vrai que pour le moment personne ne peut apporter de réponse précise à la question fondamentale à mes yeux : qu'en est-il de la dangerosité réelle de la cigarette électronique pour les personnes qui l'utilisent ?

Un rapport d'experts remis au ministère de la Santé l'an dernier concluait qu'en l'état actuel des connaissances « la cigarette électronique, bien fabriquée et bien utilisée est en elle-même un produit qui présente des dangers infiniment moindres que la cigarette [traditionnelle], mais les dangers ne sont pas totalement absents ». Cette formulation est prudente mais indique clairement la couleur :

pour un fumeur, il est préférable de se tourner vers la cigarette électronique plutôt que de continuer à fumer ses cigarettes traditionnelles. Si « les dangers ne sont pas totalement absents », les auteurs du rapport sous-entendent qu'ils sont inférieurs à ceux liés au tabac tel que nous le connaissons.

Mais qu'en est-il réellement ? Sur quelles données scientifiques ces experts s'appuient-ils pour avancer cette réduction de la dangerosité offerte par la cigarette électronique ?

Il me paraît indispensable de répondre clairement à cette question.

Je suis très étonné de constater que la cigarette électronique paraît bénéficier d'une sorte de présomption de dangerosité moindre, sans que visiblement personne ne soit en mesure d'en apporter la preuve. Cette bienveillance des pouvoirs publics et des autorités de santé se traduit par un cadre juridique très souple. Ainsi, à l'heure où j'écris ces lignes, la seule mesure réglementaire appliquée à la cigarette électronique est l'interdiction de sa vente aux mineurs, votée en mars 2014. Il est évident que ce cadre peu contraignant explique pour une grande partie le succès fulgurant que rencontre la cigarette électronique.

Absence de données scientifiques

Entendons-nous bien : ce produit représente une vraie lueur d'espoir pour le cancérologue que je suis, car il semblerait que la cigarette électronique puisse permettre de réduire les dangers liés au tabac traditionnel pour les fumeurs. Mais je voudrais tant pouvoir être rassuré à 100 % par cette lueur d'espoir ! Et je ne pourrai l'être que lorsque des preuves scientifiques solides et irréfutables de sa moindre dangerosité seront apportées par ses défenseurs. À ma connaissance, ce n'est pas encore le cas. À l'occasion du salon Vapexpo qui s'est tenu à Bordeaux au mois de mars 2014, le docteur Farsalinos, grand spécialiste du sujet, a fait une intervention remarquée en « mettant les pieds dans le plat », comme on dit. Pour résumer, il déplorait le fait que l'industrie de la cigarette électronique se soit organisée pour se défendre et pour vendre ses produits sans se soucier de mener les études scientifiques nécessaires à rassurer autorités sanitaires et utilisateurs : « En réalité, elle [l'industrie de la cigarette électronique] ne sait rien des essais sur les cigarettes électroniques. Les protocoles à but réglementaire devraient avoir des normes spécifiques. Ces normes devraient être réalisables, réalistes, précises et reproductives. » Franchement, vous comprendrez bien que ce genre d'aveu qui a le mérite de l'honnêteté ne soit pas de nature à me rassurer.

On peut donc déplorer qu'en dépit de cette absence de données scientifiques solides et irréfutables quant à la dangerosité moindre de la cigarette électronique sur le long terme pour la santé de ses utilisateurs, les autorités de santé la traitent avec autant de bienveillance. À notre époque où le principe de précaution est érigé en norme absolue et indépassable, cette attitude ne peut manquer de me surprendre en tant que médecin.

Encore une fois, je ne veux pas jeter aux orties ce nouveau produit et tous les avantages éventuels qu'il pourrait comporter pour les fumeurs. La lueur d'espoir allumée par la cigarette électronique ne pourra éclairer réellement l'avenir des fumeurs qu'à partir du moment où elle sera confirmée, étayée par de la science.

Franchement, je ne demanderais qu'à me réjouir et à rejoindre ce concert de louanges entourant la cigarette électronique ! Mais le médecin et le scientifique que je suis réclament des données scientifiques, suivant les protocoles officiels, pour être convaincus.

Ce préalable scientifique indispensable est la base qui sous-tend des produits nouveaux supposés à dangerosité moindre, sur lesquels planche l'industrie du tabac.

Un nouveau marché à encadrer

On imagine bien que Big Tobacco regarde avec inquiétude et intérêt – l'un et l'autre ne sont pas indissociables – la percée fulgurante de la cigarette électronique. Elle a engendré de telles pertes de parts de marché pour les cigarettiers que ces derniers ne peuvent plus aujourd'hui se désintéresser de la cigarette électronique et des avantages potentiels qu'elle propose pour la santé de ses utilisateurs. Au-delà du prix, qui est un facteur important pour quitter le tabac, il est intéressant de constater que la motivation principale des utilisateurs de cigarette électronique est la possibilité de se voir proposer des produits moins dangereux. Cela n'a pas échappé aux industriels du tabac. Il y a donc là un vrai marché et les *business men* de Big Tobacco ne s'y sont pas trompés !

Un article paru en février 2014 dans le journal suisse *Le Temps* nous en dit un peu plus sur ce que ces industriels ont dans leurs cartons. Évidemment, je suis très critique et méfiant vis-à-vis de l'industrie du tabac quand on songe aux manipulations et dérives auxquelles elle s'est livrée par le passé. Bien entendu, les fabricants de tabac vont devoir apporter des preuves scientifiques incontestables et approuvées par des autorités complètement indépendantes pour qu'on les croie. Bref, il y a du boulot !

Mais il semblerait qu'ils s'y soient attelés sérieusement. La démarche adoptée paraît intéressante dans la mesure où elle s'appuie sur la science, là où précisément le bât blesse pour la cigarette électronique, comme je l'ai souligné plus haut.

Il est évident que je regarderai avec un œil aussi exigeant que curieux toutes les données scientifiques qui pourront être apportées par l'industrie du tabac quand elle voudra proposer des produits à dangerosité supposée réduite. C'est le moins que puisse faire le médecin que je suis !

Néanmoins, comme pour la cigarette électronique, je regarderai avec curiosité et espoir les pistes esquissées par les produits du futur. En effet, et sans présumer de la validité de la science qui les étaiera, le tournant pris ici me semble particulièrement intéressant dans la mesure où ces industriels paraissent avoir enfin compris la nécessité d'apporter avant toute chose de la science. En tant que cancérologue, la seule qui m'intéresse au fond c'est la réduction des facteurs de risques du cancer.

Plaidoyer pour une vraie politique de prévention

Cessons donc de mettre la charrue avant les bœufs ! Il appartiendra aux autorités de santé publique de se prononcer sur les données scientifiques que devront fournir les industriels. Mais alors il ne faudra pas « jeter le bébé avec l'eau du bain ». Je veux dire que s'il est prouvé que leur science est valable, il faudra que le législateur crée les conditions qui permettront aux fumeurs de se procurer ces produits à dangerosité moindre, dès lors que cela aura été démontré et confirmé par les autorités de santé.

Ne nous y trompons pas : cela va impliquer de changer complètement l'approche qui a été celle de l'État en France depuis ces dernières décennies, toutes sensibilités politiques confondues. L'État et plus particulièrement les autorités de santé ont de fait eu la fâcheuse tendance à opter systématiquement pour une approche punitive et restrictive, à base de taxes et d'interdictions toujours plus importantes en matière de tabac. Force est de constater aujourd'hui que cette approche n'a pas été couronnée de succès quand on regarde les chiffres de la prévalence tabagique en France. Le président de la République lui-même a souligné ce qu'il a appelé le « paradoxe français » : quand il a présenté le 4 février 2014 le troisième Plan Cancer, il a insisté sur le fait que la France avait le niveau de prix sur le tabac le plus élevé d'Europe continentale et en même temps plus de 30 % de prévalence tabagique dans la population, soit plus de 10 points de plus qu'au Royaume-Uni par exemple ! Il y a bien quelque chose qui cloche et il est donc grand temps de changer notre approche en matière de santé publique. Au risque de paraître insistant, c'est notamment le volet de la prévention qu'il convient de renforcer, car on a fait beaucoup dans la culpabilisation des Français ces dernières décennies, mais pas beaucoup, trop peu pour la prévention de leurs pathologies.

Osons dire qu'il faut renverser la table ! Certes il est indispensable d'avoir des taxes élevées sur le tabac, car le prix conduit de nombreux fumeurs à stopper leur consommation de tabac. Certes, il est indispensable d'avoir un cadre juridique très strict autour du tabac pour éviter notamment que les jeunes commencent à fumer. Mais on ne peut pas s'en tenir qu'à ça. À mes yeux, pour éviter que les gens meurent du cancer, il est impératif de développer sérieusement le volet prévention des politiques de santé publique.

C'est dans cette nouvelle approche fondée sur la prévention et sur la science que réside pour moi le plus grand espoir de réduire la mortalité liée au cancer.

Pas si sympathique la chicha

Une étude californienne vient de confirmer qu'il est faux de penser que fumer la chicha - ou le narguilé - est moins cancérigène que le fait de fumer des cigarettes.

Au cours de cette étude, on a demandé à 55 individus des deux sexes, fumeurs réguliers de chicha, d'accepter de s'abstenir pendant une semaine. À l'issue de ces sept jours d'abstinence un échantillon d'urines a été recueilli. Ensuite, il a été proposé aux participants de passer une soirée avec leur chicha. Au cours de cette soirée « libre », ces individus ont fumé en moyenne 74 minutes et ont consommé environ 0,6 boule de tabac à chicha. Après cette soirée de fumerie, un nouvel échantillon d'urines a été collecté et les deux échantillons, obtenus avant et après la soirée chicha, ont été analysés et comparés.

Les résultats sont éloquents : comparés aux échantillons d'urines recueillies après une semaine d'abstinence, les urines analysées après avoir fumé la chicha contenaient un taux élevé de NNAL, substance provenant du tabac, et qui est extrêmement cancérigène notamment pour les poumons et le pancréas. On a noté dans les analyses 14 à 91 % de plus de benzène ou d'acroléine, deux produits présents dans la fumée du tabac dont on sait qu'ils sont parmi les plus cancérigènes des produits présents dans la fumée du tabac.

Alors, attention, surtout pour les jeunes dont beaucoup sont persuadés de l'innocuité de cette mode : la chicha a l'air sympa mais en réalité, son usage est aussi cancérigène que la cigarette classique.

Les ongles vernis séchés à chaud

Qui aurait pu l'imaginer ?
Les lampes à UV utilisées pour sécher les vernis à ongles que certaines femmes utilisent pour garder leur vernis plus longtemps augmentent le risque de développer un cancer de la peau sur les mains.

Déjà en 2009, le docteur MacFarlane avait rapporté dans la revue *Archives*

of Dermatology, l'histoire surprenante de deux femmes d'âge moyen en parfaite santé par ailleurs, sans antécédents personnels ou familiaux de cancer de la peau, qui avaient développé toutes les deux des cancers de la peau sur le dos des mains. Ces cas suggéraient que ces cancers avaient pu être causés par le fait qu'elles utilisaient régulièrement ce type de vernis à ongles qui nécessite d'être séché sous des lampes à UV.

Lampes à UV en cause

En avril, cette année, le risque de lien entre lampe à UV pour vernis à ongles et cancer de la peau des mains a été étayé par l'équipe américaine de Lyndsay Shipp.

Elle a mesuré la quantité de rayons ultra-violets émise par ces lampes à vernis dans 16 salons de manucure différents. Et, ces résultats ont bien montré le fait que d'un appareil à l'autre, et même d'un côté à l'autre du même appareil, la quantité de rayons ultra-violets cancérigènes n'était pas du tout la même.

Penser à se protéger

Ces résultats laissent à penser qu'un meilleur contrôle de la puissance de ces machines devrait être instauré. Et que, d'une part, les femmes devraient mettre une protection solaire sur leurs mains (type 50 +) pendant le séchage et, d'autre part, que les personnels travaillant dans ces salons devraient également se protéger avec des lunettes filtrantes (les UV donnent des cataractes précoces en cas de trop fortes expositions chroniques).

Bains de bouche : un peu mais pas trop

Vous qui veillez à votre hygiène bucco-dentaire, qui vous brossez les dents deux fois par jour en allant même jusqu'à vous brosser la langue, vous qui, soucieux de désinfecter votre bouche tout en parfumant votre haleine avec des bains de bouche après les repas, vous ne le savez pas, mais vous vous mettez à risque de cancer de la bouche ! Non, je vous jure, c'est vrai ! Ce ne sont pas des blagues...

Alors, voilà d'où vient cette incroyable information ?

Risque de cancer ORL

En mars dernier, une équipe nord-américaine publiait une très belle étude visant à rechercher si le risque de développer un cancer ORL (bouche, pharynx ou œsophage) pouvait être lié à trois éléments : une mauvaise hygiène buccale, une mauvaise hygiène dentaire ou un usage important (au moins trois fois par jour) de bains de bouche, notamment ceux contenant de faibles doses d'alcool.

Bien sûr, dans leur étude qui portait sur 1 963 patients atteints de ce type de cancers comparés à 1 993 sujets contrôles bien portants, les auteurs de ce travail ont tenu compte de tous les autres facteurs susceptibles d'augmenter le risque de cancer ORL comme le tabac ou l'alcool.

Les résultats de l'étude obtenus sur les deux premiers facteurs étaient bien entendu en accord avec ce que l'on pouvait supposer et qui avait déjà été décrit dans de précédentes études : une mauvaise hygiène dentaire multipliait le risque de cancer ORL par 2,3 et une mauvaise hygiène buccale par 2,2.

Attention aux bains de bouche trop fréquents

Cela est assez banal et on le savait, mais là où cette étude, bien menée et très sérieuse, a étonné tout le monde, c'est que le fait de faire de fréquents bains de bouche multipliait, à lui tout seul, ce risque par 3,2 !

Plus de trois fois plus de risques. C'est énorme. C'est plus que l'augmentation du risque lié à une mauvaise hygiène bucco-dentaire.

Ce d'autant que très souvent ce sont des fumeurs qui ont recours à ce type de produits afin de lutter contre leur haleine de fumeur, cumulant sans le savoir le risque de développer l'un de ces terribles cancers.

Alors, vous mes lecteurs, n'abusez pas des bains de bouche surtout s'ils contiennent de l'alcool, même à petites doses et encore plus si vous êtes déjà à risque de ces cancers, parce que vous fumez par exemple.

Assis, mais pas trop longtemps

Mesdames, cette étude ne vous concerne pas.

Par contre, si j'ai un petit conseil pour vous, Messieurs : levez-vous !

Rester assis plus de 11 heures par jour augmente le risque de cancer du côlon. En effet, en octobre 2013, le docteur Christine Sardo Molmenti de l'Université de Colombia a rapporté les résultats étonnants d'une étude qu'avec ses collègues elle a réalisée dans le but de voir s'il existait un lien démontré entre le temps passé assis et le risque, après qu'un polype a été retiré dans l'intestin d'un individu, de voir ce polype récidiver.

Intestin, zone sensible

Cette histoire de polype n'est pas à prendre à la légère car, comme nous le disons à plusieurs reprises dans ce livre, ce sont ces polypes qui font le lit du cancer du côlon. En effet, on est absolument certain aujourd'hui que les cancers du côlon (troisième cancer le plus fréquent en France) résultent de la dégénérescence de polypes au départ bénins. Ces polypes sont ainsi considérés clairement comme l'étape « précancéreuse » des cancers du côlon. D'où l'importance de les rechercher par le dépistage, de les retirer et ensuite de refaire régulièrement des colonoscopies pour vérifier qu'ils ne reviennent pas (ce qu'ils ont malheureusement souvent tendance à faire).

Dans son étude, le docteur Molmenti a regardé ce qu'il se passait chez 1 730 individus à qui l'on venait de retirer un polype colorectal et qui avaient tous réalisé au moins une coloscopie de contrôle dans les trois années qui ont suivi. L'étude cherchait à voir s'il existait un lien entre la fréquence de rechute de ces polypes potentiellement capables, je vous le rappelle, de se transformer en cancer et le nombre d'heures passées quotidiennement assis, sur le lieu de travail par exemple, ou simplement devant la télé.

De la nécessité absolue de bouger

Les résultats rapportés sont stupéfiants par leur ampleur.

Écoutez bien : si, chez les femmes participant à l'étude, aucune corrélation n'a été trouvée, chez les hommes, le fait de passer plus de 11 heures assis par jour augmentait de 45 % le risque de rechute des polypes par rapport aux hommes qui passaient moins de 7 heures assis chaque jour !

Sachant qu'en moyenne les Américains passent environ 15,5 heures par jour assis, cette étude indique, en fait, que près de 170 000 nouveaux cas de cancers seraient directement dus chaque année aux États-Unis au seul fait de rester assis trop longtemps.

Ce chiffre de 170 000 est énorme et, même si nous ne disposons pas d'une étude similaire en France, mon conseil, Messieurs : Levez-vous !

Faire (beaucoup) de vélo...

Étudiant les conséquences de leur hobby sur leur santé, des chercheurs de l'University College of London ont suivi près de 5 000 cyclistes.

Leur but était de regarder le lien entre la pratique prononcée du cyclisme et un certain nombre de troubles de santé comme les troubles de l'érection, l'infertilité et le cancer de la prostate.

Pour ce qui nous intéresse dans ce livre, c'est-à-dire la prévention des cancers, ils sont arrivés à la conclusion que le cyclisme, pratiqué au moins à hauteur de 8 à 9 heures par semaine, chez les hommes de plus de 50 ans, augmentait effectivement, même si c'est de façon très modeste, le risque de développer un cancer de la prostate.

Les auteurs ne disent pas si cet effet est en rapport avec la forme de la selle !

La circoncision, c'est bon pour la prostate

Une très belle étude canadienne vient d'être rapportée par ses auteurs, les docteurs Marie-Élise Parent et Andréa Spence.

L'idée était de comparer le risque de développer un cancer de la prostate chez les hommes circoncis par rapport à ceux qui ont encore leur prépuce.

Ces chercheurs ont donc comparé le risque entre un groupe de 1 590 individus atteints de cancer de la prostate et un autre groupe de 1 618 individus témoins, parfaitement sains.

Les résultats confirment pour le cancer de la prostate, comme on le savait déjà pour le sida ou d'autres maladies sexuellement transmissibles (MST), la circoncision réduit le risque de cancer de la prostate de 45 % si cette circoncision a eu lieu après 35 ans, contre 14 % si elle a eu lieu au cours de la première année de vie. Cette réduction du risque va même jusqu'à 60 % chez les adultes noirs, dont on sait que, par nature, ils sont beaucoup plus sujets à ce cancer que les Blancs.

Fantastique non !

Vous allez me demander pourquoi, comment ça marche ? Eh bien, on n'en sait rien !

On suppose simplement que cela tient au fait que la circoncision réduit le risque de MST et on sait que celles-ci augmentent le risque de cancer de la prostate.

Contraception masculine, attention

La vasectomie est cette très petite opération chirurgicale, réalisée en dix minutes sous anesthésie locale, qui consiste à couper ou à fermer les canaux déférents, ces petits tuyaux qui amènent les spermatozoïdes fabriqués dans les testicules pour les mélanger au sperme, fabriqué lui dans des petites glandes posées au-dessus de la prostate et qu'on appelle les vésicules séminales.

La vasectomie, méthode de contraception masculine

En coupant ces canaux, le sperme qui sortira au moment de l'éjaculation masculine ne contiendra plus de spermatozoïdes et sera donc incapable de provoquer une fécondation et une grossesse. C'est, en fait, une des méthodes de contraception masculine parmi les plus utilisées au monde.

Les hommes deviennent stériles et ne peuvent plus faire d'enfant.

Un risque augmenté

En juillet dernier paraissait une étude portant sur 50 000 hommes ayant subi une vasectomie avec l'objectif de voir si ceux-ci avaient plus ou moins de risques de développer un cancer de la prostate. Et en effet, les chercheurs ont confirmé après un suivi de plus de vingt ans, que la vasectomie provoquait une augmentation de 10 % du risque de cancer de la prostate et même de 20 % du risque de cancer très agressif de la prostate, de ceux qui ont tendance à tuer les hommes qui en sont atteints.

À ce jour, aucun scientifique n'a pour autant été capable de nous donner la moindre explication sur les raisons de ce lien.

Si vous avez des règles irrégulières

Allez le croire ou non, une très belle étude du docteur Barbara Cohn du Public Health Institute à Berkeley en Californie est arrivée à cette conclusion : avoir des règles irrégulières augmente le risque de cancer de l'ovaire.

L'influence du cycle

Cette étude a consisté à suivre pendant plus de cinquante ans une cohorte de 14 000 femmes et à regarder, à la fin de l'étude, si les 103 femmes qui, au cours de ce suivi, ont développé un cancer de l'ovaire, avaient des cycles menstruels différents de celles qui n'ont pas développé ce type de cancer.

La définition de « cycles irréguliers » : ce sont soit des cycles de plus de 35 jours, soit des cycles dont la durée varie d'un cycle à l'autre (en dehors, bien évidemment, de la période qui précède la ménopause).

Les résultats sont, à mon avis, sans appel : ces femmes qui ont des cycles dits irréguliers ont deux à quatre fois plus de cancer de l'ovaire que celles qui ont des cycles réguliers. Cette augmentation du risque est considérable et, qui plus est, concerne un cancer qui n'est pas toujours curable, loin s'en faut.

La contraception comme prévention

Alors, que peut-on faire pour éviter cette augmentation du risque ? Tout simplement prendre une pilule contraceptive.

Et l'on savait depuis longtemps que la prise de la pilule diminuerait le risque de cancer de l'ovaire. À condition bien sûr, que votre gynécologue ne trouve pas que vous êtes porteuse d'un facteur de risque (comme le tabagisme par exemple) qui contre-indique alors la prise de la pilule.

Femmes de grande taille

Plus une femme est grande, plus elle est à risque de développer un cancer. Alors là, je suis sûr que vous n'allez pas le croire... enfin, sauf si vous êtes une femme et que vous êtes plutôt grande. Mais, cette affirmation, je vous l'affirme ne comporte aucune blague. En juillet 2013, une équipe de l'Albert College of Medicine aux États-Unis a regardé de plus près une célèbre cohorte de 144 701 femmes ménopausées appelée la « Women's Health Initiative » (WHI).

Ces femmes, en parfaite santé au départ, âgées lors de leur inclusion dans l'étude entre 1993 et 1998, de 50 à 79 ans, ont été suivies sur le plan médical pendant douze ans.

Taille et risque de cancer, des éléments à ne pas négliger

Au terme de ce suivi, 20 928 d'entre elles ont développé un cancer, quel qu'il soit. Le travail de cette équipe, dirigée par le docteur Geoffrey Kabat, a ensuite consisté à regarder s'il existait un lien entre la taille de ces femmes, c'est-à-dire leur hauteur, et leur risque de développer certains cancers. Et la réponse fut : OUI !

Plus les femmes sont grandes, plus elles sont à risque de développer un cancer. Et ce, pour la plupart des cancers, qu'il s'agisse des cancers de la thyroïde, du côlon, du rectum, de l'endomètre, du rein, des ovaires, du sein, du sang et des mélanomes malins.

Plus précisément même, leur conclusion, très étayée scientifiquement, montre que ce risque augmente de 13 % par tranche de 10 cm de hauteur si l'on prend tous les types de cancers mélangés, mais monte jusqu'à plus de 23 % et jusqu'à 29 % si l'on considère le risque de cancer du rein, du rectum, de la thyroïde ou du sang. Un quart à un tiers de risque en plus...

Impressionnant n'est-ce pas ?

Mais, comment peut-on expliquer cela ?

En réalité, deux mécanismes peuvent être mis en cause.

Facteurs génétiques

D'abord il faut savoir que la taille d'un individu dépend à la fois de facteurs génétiques (hérédité) mais aussi de la qualité de son alimentation durant l'enfance.

Ce qui veut dire que plus un enfant, en particulier les filles avant leur puberté, sera richement nourri, notamment de produits laitiers, plus il y a de chances que, dans la limite de son hérédité, elle devienne une femme de grande taille. Or cette alimentation très riche en produits laitiers réalise ce phénomène de croissance importante parce qu'elle va entraîner la présence dans le sang de ces jeunes filles d'une plus grande quantité d'une hormone très cancérigène appelée IGF1 ou *Insuline Growth Factor 1*. Cette hormone, si elle stimule la fabrication de cellules normales et augmente donc la taille des organes, favorise également la prolifération des cellules cancéreuses. Sa présence dans le sang en quantité importante est parfaitement connue pour être associée à une augmentation du risque de développer certains cancers comme ceux du sein, de la prostate ou du côlon.

Plus grande, plus de cellules

La deuxième explication tient, elle, tout bêtement au fait que, chez les individus de grande taille, les organes sont eux aussi de grande taille. Ils sont donc constitués d'un plus grand nombre de cellules que les organes d'un individu plus petit. Et, il est bien évident que, plus il y a de cellules dans un organe, plus il y a de risques que l'une d'entre elles devienne un jour cancéreuse.

Alors, Mesdames, si vous êtes grandes, surveillez-vous bien dès que vous arriverez à la ménopause !

« Pomme » ou « poire[1] » : rôle de la silhouette chez la femme

Ne riez pas... Il n'y a rien de moqueur dans ce titre mais seulement des vrais résultats scientifiques issus de recherches de grande qualité et indiscutables.

Obésité et cancer du sein

On sait depuis longtemps que l'obésité est un puissant facteur de risque pour le cancer du sein. Cela a été montré par des dizaines d'études et ce paramètre de risque n'est plus aujourd'hui mis en cause par personne. Cette obésité ou ce surpoids, nous avons l'habitude, en médecine, de le chiffrer en se servant de ce que l'on appelle le *Body Mass Index*

(BMI) ou, en français, si vous préférez, l'indice de masse corporelle (IMC).

Ce BMI se calcule assez facilement. Il faut diviser le poids en kilos par le carré de la hauteur en mètre, c'est-à-dire sa taille multipliée par sa taille (par elle-même).

Prenez un exemple : vous mesurez 1,75 et vous pesez 62 kg. Vous multipliez d'abord 175 par 175. Vous allez trouver : 3,0625. Prenez maintenant votre poids : 62 kg et divisez-le par 3,0625 et vous allez trouver : 20,24. Ce chiffre c'est votre BMI ; et, à 20,2, il est parfaitement normal.

Le tableau suivant vous donne le lien entre le BMI et la notion d'obésité ou de maigreur.

---

1. D'après la « Body type classification » de Richman.

IMC (kg – m²)	Interprétation selon l'OMS
Moins de 16,5	Dénutrition
16,5 à 18,5	Maigreur
18,5 à 25	Normal
25 à 30	Surpoids
30 à 35	Obésité modérée
35 à 40	Obésité sévère
Plus de 40	Obésité morbide

Donc, revenons à notre histoire de forme de corps chez la femme et risque de cancer du sein.

S'il était donc bien connu qu'il existait un lien très net entre un BMI élevé et le risque de développer un cancer du sein chez la femme, de nombreux chercheurs se sont penchés sur la question de savoir si la forme du corps, c'est-à-dire en fait ici, la répartition des graisses, avait elle aussi une relation positive ou négative avec ce risque.

Le tour de taille, facteur de risque ?

La première étude importante sur ce passionnant sujet a été publiée en 1999. Les chercheurs, dans cette étude, ont regardé si le tour de hanches avait un impact sur le risque de cancer du sein. Ils ont suivi 47 382 infirmières pendant une dizaine d'années au cours desquelles 1 037 d'entre elles ont développé un cancer du sein. Ils ont ensuite regardé si celles qui avaient eu un cancer du sein avaient en moyenne un tour de hanches différent de toutes celles qui étaient restées indemnes de cette maladie.

Naturellement, la comparaison s'est faite à indice de masse corporelle (BMI ou IMC) équivalent.

Le risque de développer un cancer du sein après la ménopause était ainsi multiplié par 1,83 (soit 83 % d'augmentation) chez les femmes à fort tour de hanches (forme en poire) à poids égal par rapport aux femmes à faible tour de hanches.

Deux ans plus tard, une autre équipe américaine prenait une autre cohorte de 45 799 infirmières (la « Nurse's Health Study II ») suivies pendant douze ans (de 1993 à 2005). Au cours de ce suivi, 620 cas de cancer du sein ont été diagnostiqués parmi ces femmes.

Cette fois-ci, l'étude portait sur les femmes avant la ménopause et, là aussi, évidemment les auteurs ont tenu compte du poids (du BMI) avant de faire leurs comparaisons.

Le résultat, là aussi, est surprenant : les femmes ayant un fort tour de hanches ont bien un risque de développer un cancer du sein (uniquement la forme la plus fréquente avant la ménopause, des cancers non sensibles aux hormones féminines) multiplié par 2,6 mais, là, les auteurs avaient aussi mesuré le tour de taille. Et un fort tour de taille multipliait le risque par 6,5 (forme « pomme ») !

En 2013, une équipe française dirigée par le docteur G. Fagherazzi, étudiant la cohorte française, appelée E3N, composée de 81 089 femmes, est arrivée à des conclusions très différentes. Si l'on regardait la forme du corps des 3 573 femmes qui avaient développé un cancer du sein, on s'apercevait que, par rapport à celles qui n'avaient pas de cancer du sein et en tenant compte du degré d'obésité (BMI), que les femmes qui avaient un risque de cancer sensible aux hormones lorsqu'elles avaient une forme « large » à la puberté arrivaient à la ménopause réduit de 20 %. Pas mal ! Alors pas simple tout cela !

Le surpoids, à surveiller

Mais, bonne nouvelle, dans une très belle étude récente, une équipe américaine a mis tout le monde d'accord. Elle portait sur 29 000 femmes suivies pendant plus de onze ans. Le tour de taille, une fois corrigé du BMI n'intervient absolument pas dans le risque de cancer du sein !

En fait, poire ou pomme, ce n'est pas la forme de votre corps qui change votre risque, Mesdames, de développer un cancer du sein, mais simplement votre degré de surpoids ou d'obésité.

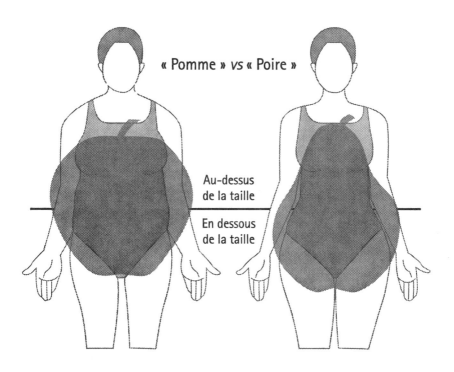

« Pomme » *vs* « Poire »

Au-dessus de la taille

En dessous de la taille

CHAPITRE 7

La pollution joue un rôle

Les téléphones portables et les ondes en général : inoffensifs ou nuisibles ?

Les téléphones portables... Un sujet particulièrement sensible, complexe et pour lequel, vous allez le voir, il n'est pas simple ou évident de donner un avis étayé qui ne soit pas, en réalité, davantage le fruit d'une intuition plutôt que le résultat d'une analyse approfondie de toutes les données disponibles.

La question qui est posée est extrêmement simple : est-ce que le fait d'avoir cet appareil, si commun aujourd'hui, collé à l'oreille durant des heures, tous les jours, augmente ou non mon risque de développer un cancer et notamment une tumeur cérébrale ?

Et, pour dire la vérité, quand on lit les journaux, face à toutes ces informations contradictoires, il n'est pas facile de savoir si la réponse est oui ou non.

Alors, reprenons un peu les données disponibles.

Pour bien comprendre ce dont nous avons parlé, il faut que vous sachiez qu'il existe trois grands types de tumeurs du cerveau. L'une maligne, appelée le glioblastome, est extrêmement grave et les deux autres bénignes, même si, parfois, elles peuvent être très embêtantes, sont le méningiome et le neurinome.

Plusieurs journaux et magazines ont annoncé avec fracas, en mai 2014, qu'« une nouvelle étude française confirme que le risque de développer certains cancers du cerveau est bien supérieur chez ceux qui vivent l'oreille collée au portable »... Cette étude menée par d'éminents et indiscutables chercheurs de l'université de Bordeaux, dirigés par le docteur Gaëlle Coureau, consistait à étudier tous les cas de tumeur du cerveau diagnostiqués dans plusieurs régions françaises entre 2004 et 2006.

Il s'agissait au total, de 253 patients atteints de glioblastome et de 194 patients atteints de méningiome qui ont été comparés à 892 sujets témoins, indemnes de tumeur. La conclusion de cette étude est que les utilisateurs « réguliers » de téléphone portable n'avaient pas d'augmentation du risque de développer une tumeur cérébrale mais que les utilisateurs intensifs (plus de 896 heures par an) voyaient leur risque multiplié par 2,6 à 2,9.

Que savions-nous avant cette étude ? En fait, plein de choses mais qui n'allaient pas toutes dans le même sens.

D'abord, il y a aujourd'hui plus de 5 milliards d'êtres humains qui utilisent des téléphones portables. Ensuite, ces portables émettent de moins en moins d'énergie, aujourd'hui entre 0,1 et 2 watts, et cette énergie transmise à notre organisme dépend de l'appareil, de la distance entre l'appareil et notre corps (oreille, cerveau) et de la qualité du réseau (plus le réseau est faible plus l'appareil cherche à se connecter ou quand on se déplace avec le téléphone à la main et qu'il passe ainsi d'une antenne à une autre), plus la transmission d'énergie sera forte.

Alors, et les études chez l'homme ?

Revue de détail des risques potentiels

Voyons d'abord tout ce qui n'est pas tumeurs cérébrales.

Par exemple, les Danois ont regardé si le fait d'avoir un téléphone portable collé à la peau du visage et du cou pouvait augmenter le risque de cancer de la peau du visage.

Ils ont suivi pendant au moins treize ans, 355 701 abonnés au téléphone et n'ont trouvé aucune augmentation du risque.

Une autre très belle étude a regardé l'augmentation du risque de développer une tumeur des glandes salivaires ou de la parotide situées presque à côté de l'oreille. Ils ont comparé 69 patients atteints de ce type de tumeur et 262 sujets témoins. Ils n'ont trouvé aucun lien particulier là non plus.

Bon, pour la peau et les glandes salivaires, nous voyons donc qu'il n'y a pas vraiment d'information alarmante.

Téléphones portables et tumeurs cérébrales

Qu'en est-il maintenant des tumeurs cérébrales : gliobastomes et neurinomes essentiellement ?

Comme on peut facilement le comprendre, il y a deux façons de rechercher ce lien éventuel.

Le premier consiste à étudier spécifiquement les utilisateurs de téléphone et voir s'ils ont plus de telle ou telle tumeur que les autres.

L'autre est de regarder si, depuis l'apparition des téléphones portables, on a plus ou moins de ces tumeurs dans un pays donné.

La plus importante des études du premier type est une étude coordonnée par l'agence de recherches de l'Organisation mondiale de la santé (OMS, structure farouchement indépendante) et qui s'appelle l'étude « Interphone ».

Elle a comparé le risque de développer une de ces tumeurs chez 2 708 porteurs de glioblastome et 2 409 de méningiome par rapport à des sujets contrôles et ce, dans treize pays utilisant le même portable.

C'est énorme !

Leurs résultats publiés en 2012, concluent « en général, nous n'avons pas observé d'augmentation du risque de glioblastome avec l'utilisation du téléphone portable ».

Cela fut la conclusion générale. Un petit bémol cependant : pour les très grands utilisateurs de téléphone (plus de 1 640 heures, soit le double de l'étude française de l'université de Bordeaux dont nous avons parlé), il pouvait sembler exister une augmentation de 40 % du risque (pas 260 à 280 % comme dans l'étude française).

Seulement voilà, si certains médias se sont emparés de cette information, ils ont oublié de dire que, de l'avis des auteurs eux-mêmes, il y avait dans ce groupe des données invraisemblables, *implausibles values*, et donc, dans leurs conclusions, ils indiquaient que ces biais et ces erreurs ne permettaient pas de conclure à une quelconque interprétation de liens de causalité entre l'utilisation intensive (supérieure à 1 640 h/an) du portable et le développement de tumeurs cérébrales cancéreuses.

Dans cette même étude, les chercheurs de ces treize pays ont regardé si on ne constatait pas par hasard une augmentation d'une autre tumeur dont l'incidence aurait dû croître si les téléphones avaient un effet cancérigène : les neurinomes de l'acoustique. Ce sont des tumeurs bénignes, susceptibles de rendre sourd, qui surviennent sur le nerf auditif juste derrière l'oreille, dans le crâne.

Sur ce facteur important, aucune augmentation de risque de développer cette tumeur n'a été retrouvée après dix ans d'usage du mobile.

Donc, en conclusion, il n'est pas possible, pour l'instant, de donner, en tout cas chez l'adulte, une tendance claire : une relative petite étude française dit qu'avec un peu moins de 900 heures de téléphone on augmente son risque de 260 à 290 % et une immense étude internationale, portant sur dix fois plus de malades, dit qu'en principe il n'y a pas d'augmentation et que, s'il y en avait une, elle serait observable chez ceux qui cumulent plus de 1 600 heures de téléphone et l'augmentation ne serait que de 40 %.

Du côté des études de terrain

Alors, regardons si les données épidémiologiques nous éclairent davantage, c'est-à-dire des études observant les comportements d'une large population.

Voici deux magnifiques et énormes études.

L'une, américaine, conclut que de 1992 à 2008 dans douze États, entre deux dates, la première en 1992, où il n'y avait pratiquement pas de portables et à la seconde en 2008 où le portable s'était considérablement répandu, aucune augmentation du nombre de cas de glioblastome diagnostiqués chaque année n'a été observée. Plus précisément, le taux d'incidence de cette tumeur a fluctué de 0,02 % d'une année à l'autre.

Loin des 40 % ou des plus de 200 % annoncés par certaines études.

L'autre est une étude du même type mais faite dans les pays scandinaves. Là encore, l'incidence des cas de glioblastome a été étudiée de 1979 à 2008, donc avant et après l'usage des portables.

Et là aussi, aucune augmentation du nombre de ces tumeurs n'a été observée.

Voilà, pour l'essentiel, l'état des données sur ce sujet. Sur la base de ces informations, l'OMS a classé il y a peu de temps les ondes du téléphone portable comme cancérigène possible (groupe II B), c'est-à-dire ni certain (groupe I) ni probable (groupe IIA).

Tableau 12. Classification
des facteurs cancérigènes d'après l'OMS

Classification IARC	Éléments impliqués
Cancérigène pour l'homme (groupe 1)	Arsenic, amiante, cadmium, *H. pylori*, aflatoxines, poissons salés, tabac, benzène, benzoa-pyrène, chromium [VI], traitement hormonal substitutif de la ménopause, œstrogènes non stéroïdaux, éthanol, virus de l'hépatite B, virus de l'hépatite C, papillomavirus humain, radon, radiations solaires, bétel, goudron, combustion ménagère de charbon, particules fines de diesel.
Probablement cancérigène pour l'homme (groupe 2A)	Acrylamide, plomb inorganique, PCB, friture à haute température, maté brûlant, androgènes, 5-méthoxypsoralène, nitrates et nitrites, radiation UV A, B et C, insecticides sans arsenic.
Peut-être cancérigène pour l'homme (groupe 2B)	Herbicides chlorophénoxiques, plomb, nickel, champs électromagnétiques, condiments vinaigrés (pickles).
Non classifié comme cancérigène pour l'homme (groupe 3)	Acroléine, bleu Evans, caféine, carraghénane naturel, cholestérol, eau de boisson chlorée, laine de verre d'isolation, mercure et ses composés minéraux, paracétamol, quercétine, saccharine, sulfites, thé.
Probablement non cancérigène pour l'homme	Caprolactame.

Mieux vaut être prudent

Maintenant, que faut-il penser de toutes ces données ? Qu'il n'y a vraiment aucun risque ? Jamais ? Pour personne ?

Pour vous dire, non pas la science mais mon opinion, mon intuition, surtout en référence à la théorie des multiples « petits » effets cancérigènes que je défends dans l'introduction de ce livre, je vous dirai que je crois qu'il faut être prudent.

C'est-à-dire ?

• Éviter l'usage du portable chez les plus fragiles des êtres humains : nos enfants.

• Pour nous, adultes, utiliser les kits mains libres et les oreillettes autant que possible.

• En tant que citoyens, pousser nos gouvernements à exiger des opérateurs et des fabricants de téléphone qu'ils réduisent au maximum la force des émissions d'ondes.

Pour autant, si la prudence doit, je le crois, être de mise, la science, elle, à ce jour, n'a pas vraiment démontré un risque vérifié qui permettrait de conclure définitivement à la dangerosité de ce mode de communication.

Alors, après, comme à chaque fois, c'est au bout du compte, à vous de décider ce qu'il y a à prendre de ces recommandations et ce que vous préférez laisser tomber... C'est à vous qu'il revient de décider quelle sera la bonne attitude à adopter.

Les perturbateurs endocriniens sont-ils vraiment cancérigènes ?

Ces fameux perturbateurs ! Près de cinq ans que l'on en parle !

Il est surtout d'ailleurs question du plus célèbre d'entre eux, le bisphénol A, retrouvé dans des dizaines de produits de consommation courante, comme les biberons de nos chers enfants !

Quelques articles dans la presse grand public, une polémique qui démarre, des inquiétudes qui naissent et le scandale est là !

Les perturbateurs endocriniens sont dangereux pour la santé !

Ah bon !

Mais quand, à partir de là, vous commencez à poser des questions autour de vous sur ces perturbateurs, vous vous rendez compte que la plupart des personnes n'ont pas vraiment compris de quoi il s'agissait.

Alors, en fait, un perturbateur endocrinien, qu'est-ce que c'est ?

Cela perturbe quoi ?

C'est cancérigène ou pas ?

C'est mauvais pour la santé, d'accord, mais en quoi exactement ?

Ce sont là des questions légitimes et vraiment intéressantes et je vais essayer d'y répondre.

D'abord, que sont ces fameux perturbateurs ?

Pour faire simple, ce sont des substances, des produits naturels ou d'origine chimique, qui, lorsqu'ils entrent en contact avec notre organisme, modifient notre système hormonal. Ces substances sont donc susceptibles de provoquer des effets néfastes sur notre capacité à nous reproduire, à faire des enfants (à cause de leur effet sur les hormones sexuelles comme les œstrogènes ou la testostérone), ou sur l'état de nos organes sexuels (toujours en raison de leur action sur les hormones sexuelles), comme les seins ou la prostate.

Bien évidemment, lorsque l'on évoque cet effet nuisible sur ces organes, le risque qui nous intéresse avant tout, c'est bien le risque de cancer du sein et de cancer de la prostate.

Ces deux cancers déjà extrêmement fréquents, respectivement 55 000 et 60 000 nouveaux cas chaque année en France environ, entraînent chacun, près de 11 000 morts par an.

Or le nombre de ces deux cancers ne cesse d'augmenter rendant la situation, déjà inquiétante au départ, totalement terrifiante. Cette augmentation importante ne peut pas simplement s'expliquer par le seul fait du vieillissement de la population, par le retard de l'âge de la première grossesse chez la femme ou plus généralement par notre alimentation de moins en moins équilibrée.

Alors, bien sûr, la découverte de la présence, de plus en plus importante, dans notre environnement quotidien, dans ce que nous mangeons, buvons, touchons, de ces substances capables d'interférer, de perturber, nos hormones et éventuellement d'agir sur nos seins ou notre prostate, ne peut que nous inciter à penser à un lien de causalité et à leur responsabilité dans cette menace permanente, angoissante, de développer un cancer !

Bien sûr, il n'y a là rien que de très logique et si, par hasard, ce lien se confirme, on ne pourra s'empêcher de penser qu'il s'agit là d'un immense problème de santé publique. Et d'un scandale sanitaire.

De la difficulté d'évaluer le risque cancérigène

La difficulté d'évaluer précisément la nocivité des perturbateurs endocriniens tient au fait qu'il existe des centaines de ces substances capables de perturber notre système hormonal. On les trouve dans les produits de beauté, les produits de ménage, les tickets de caisse, les emballages, les jouets... soit dans de très nombreux produits que nous utilisons au quotidien.

Ils sont présents partout et, en y pensant, on ne peut qu'être très angoissé à l'idée que ces produits soient peut-être cancérigènes.

Mais le sont-ils vraiment ? Et si oui, comment font-ils pour déclencher le cancer ? Et dans ce cas, que pouvons-nous faire pour nous prémunir ?

Des effets délétères constatés

Laissez-moi d'abord vous dire ma conviction, conviction tirée de la lecture critique de centaines d'études scientifiques sur le sujet : je suis convaincu que ces perturbateurs réduisent notre capacité à nous reproduire, à faire des enfants et, à terme, cet effet risque de représenter un véritable danger pour l'humanité.

De la même manière, il me semble évident que ces perturbateurs sont responsables dans la vraie vie, et pas uniquement sur des expériences d'animaux de laboratoire, de troubles du développement d'enfants exposés dans l'utérus de leur mère, pendant la grossesse ainsi que d'autres troubles, neurologiques par exemple.

Mais qu'en est-il du risque de cancer du sein ou de la prostate ?

Cancer du sein
et cancer de la prostate

Je ne cite que ces deux cancers même si, dans de nombreux articles de la presse grand public, certains ont inclu dans les cancers hormono-dépendants, les cancers du testicule.

Pourquoi ?

Pour une raison simple : parce que même si les testicules sont des organes qui produisent des hormones sexuelles et les spermatozoïdes, indispensables à la reproduction, leurs cancers ne sont en rien dus à un problème hormonal ni sensibles de ce fait à un traitement hormonal comme la plupart des cancers du sein et de la prostate.

Alors, revenons à notre question : *quid* des perturbateurs endocriniens et de leur rôle dans l'apparition d'un cancer hormono-dépendant type sein ou prostate ?

Je vous avoue que répondre à cette question, d'une manière étayée et scientifique, n'est pas simple du tout. Et cela, pour de multiples raisons, par exemple :

• Il existe des milliers de perturbateurs endocriniens de nature chimique extrêmement différente de l'un à l'autre et qui, évidemment, n'ont pas tous les mêmes effets.

• Ces produits sont présents de façon extrêmement importante dans notre environnement. À titre d'exemple, l'industrie fabrique chaque année plus de 3 milliards de tonnes de bisphénol A, que nous allons, forcément, retrouver tout autour de nous.

• Certains disparaissent rapidement, soit de notre environnement (où ils sont vite détruits), soit de notre corps (où ils sont vite éliminés), alors que d'autres, que l'on appelle des POP pour « polluants organiques persistants », comme la dioxine, vont s'accumuler dans la terre, puis dans l'eau, puis dans ce que nous mangeons (comme le saumon par exemple) et qui sont dits « persistants », car une fois ingérés, ils restent actifs et cancérigènes pendant quinze à trente ans dans notre corps.

En réalité, ce serait trop simple de penser que vous n'allez être contaminé que par un seul perturbateur. C'est quasiment impossible.

L'effet cocktail

Vous allez, par exemple, manger du saumon chargé de dioxine (premier perturbateur), puis vous allez toucher le ticket de caisse de supermarché imprégné de bisphénol A qui va pénétrer dans votre corps par la peau (deuxième perturbateur), vous utiliserez plus tard un gel douche d'une marque très connue, bourré de propylparaben qui vous contaminera (troisième perturbateur) ou bien vous mangerez un fruit exotique cultivé sur une île des Caraïbes, sur une terre saturée en chlordécone (quatrième perturbateur). Comme vous le voyez, la liste de toutes les combinaisons possibles est pratiquement infinie et il est donc impensable d'étudier la dangerosité de tous les mélanges de perturbateurs, ce que, en médecine, on appelle l'« effet cocktail ». Cet effet est potentiellement très important, car on peut très bien avoir une situation dans laquelle deux perturbateurs donnés seraient inoffensifs pris individuellement mais dont la combinaison, le mélange, serait hautement cancérigène.

Le niveau de dose

Il existe différents niveaux possibles de contamination et, pour la plupart d'entre nous, nous ne faisons pas vraiment la différence. On peut en effet avoir une contamination que j'appellerai « domestique » (de petites doses de perturbateurs) et, face à elle, très différente quantativement, une contamination professionnelle (de très fortes doses de perturbateurs).

Bien évidemment, les effets, y compris en termes de risques de cancer, ne seront pas les mêmes !

Il en est ainsi des agriculteurs qui subissent souvent une contamination massive du fait des pesticides dont beaucoup d'entre eux sont des perturbateurs. Et nous mangeons un tout petit peu de ces mêmes pesticides dans nos fruits et légumes. Si ces pesticides sont cancérigènes, l'un aura un risque très fort et l'autre, proportionnellement, un risque très faible.

Une comparaison impossible

Enfin, compte tenu de l'omniprésence des perturbateurs endocriniens, dans notre vie quotidienne, tout autour de nous, il est impossible d'identifier un groupe d'individus qui soit indemne de toute contamination afin d'établir une comparaison et voir, si, par rapport à un autre groupe d'individus, qui, comme nous, absorbe quotidiennement de ces perturbateurs, ceux qui en sont indemnes vont avoir moins de cancers que les autres.

Nous sommes donc dans une sorte d'impasse !

Comment prouver que, s'il y a bien augmentation en partie inexpliquée de cancer du sein ou de la prostate, cette augmentation soit réellement due aux perturbateurs ?

J'avoue que les enquêtes épidémiologiques, celles dont je parle souvent dans ce livre et concernant bien sûr, non pas l'exposition professionnelle aux perturbateurs mais l'exposition domestique, ne peuvent nous apporter la réponse.

C'est ce que dit en substance l'Académie de médecine dans son rapport récent sur les perturbateurs.

Il n'en demeure par moins qu'un certain nombre d'éléments peuvent nous laisser craindre le pire.

Des risques certains,
une grande vigilance requise

Par exemple, on sait que les femmes qui ont été exposées aux perturbateurs, bébés dans le ventre de leurs mères qui avaient reçu du diéthylstylbestrol (DES, plus connu sous le nom de Distilbène®), ont souvent développé à l'âge adulte des cancers.

On sait aussi que les femmes qui avaient été contaminées par la dioxine au cours de la catastrophe de Seveso, en Italie en juillet 1976, ont eu beaucoup plus de cancers du sein que la moyenne des femmes, si elles étaient adolescentes au moment de l'accident. Ce sont là les rares données disponibles pour l'homme.

Mais il existe des dizaines de travaux expérimentaux chez l'animal en laboratoire ou sur des cellules en culture qui vont à peu près tous dans le même sens et qui tendent à démontrer que l'exposition, notamment des fœtus dans l'utérus, ou plus tard l'exposition des enfants à des perturbateurs endocriniens augmente le risque de cancer, fragilise en quelque sorte certains organes, les rend plus fragiles et donc davantage susceptibles de développer un cancer à l'âge adulte.

Alors, je vous le dis comme je le pense, je crois qu'il faut tout faire pour arrêter cette machine infernale qui nous pousse probablement vers une catastrophe sanitaire et inciter nos institutions à faire tout ce qui est possible pour réduire, voire arrêter définitivement notre contamination quotidienne domestique, par ces terribles polluants.

Restera, malheureusement à trouver par quoi les remplacer et là, le problème semble loin d'être facile à résoudre sauf à jouer encore une fois à l'apprenti sorcier !

Du chrome dans les chaussures ?

L'année dernière, lorsqu'un ami journaliste, Thomas Bravo-Maza, est venu me voir pour envisager ma participation à un reportage-enquête sur la présence d'un produit hautement cancérigène dans les chaussures, j'ai cru qu'il me faisait une blague.

En réalité, pas du tout. Son enquête pour un magazine d'investigation à la télévision était tout ce qu'il y a de plus sérieux.

Une réglementation inexistante

En effet, on sait que pour éviter la putréfaction naturelle des peaux de bêtes, les tanneurs ajoutent dans les bains de tannerie, du sulfate de chrome III. Le problème est que cette opération est faite en dehors de toutes règles, ce qui est le cas dans la plupart des tanneries des pays relativement peu développés (Vietnam, Maroc...). Ce sulfate de chrome III, peu toxique, s'oxyde et mute en chrome VI, lui hautement dangereux et extrêmement cancérigène. Le chrome VI se retrouve donc dans les cuirs qui servent à la fabrication de chaussures de très nombreuses marques, toutes gammes confondues. Pour autant que cela puisse paraître bizarre, il n'y a pas pour l'instant de seuil maximal autorisé de chrome VI dans le cuir des chaussures. La commission européenne est en train de le fixer à 3 ng/kg au maximum, mais si le dossier, présenté par le Danemark, premier pays à s'être intéressé à la question, avance bien, il n'est pas encore finalisé.

Des concentrations de chrome inquiétantes

Mon ami journaliste, pour les besoins de son enquête, est allé acheter dix paires de chaussures de dix marques différentes, de 25 à 200 euros la paire. La quantité de chrome VI, mesurée dans les dix paires de chaussures par un laboratoire agréé de Suisse, a révélé que trois paires sur les dix testées dépassaient largement ce seuil : l'une avec une concentration de 3,6 ng/kg, l'autre à 9,4 ng/kg mais surtout, beaucoup plus grave, la dernière provenant d'une marque de grande diffusion en France très connue était à 43,6 ng/kg. Vous vous rendez compte !

Avoir ses pieds qui frottent sur ce cuir bourré de produit cancérigène... Le chrome VI cancérigène qui pénètre par la peau dans notre corps mérite sans doute que l'on y réfléchisse...

Attention aux produits ménagers

Une très grande chercheuse nord-américaine, le docteur Christine Ekenga du National Institute of Environnemental Health Sciences, a rapporté en juin 2014, les résultats de son étude sur les liens entre l'utilisation de solvants organiques, tels qu'on les trouve dans les produits ménagers, et le risque de développer un cancer du sein.

Elle a suivi ainsi un groupe de femmes américaines qui avaient toutes une sœur ayant ou ayant eu un cancer du sein alors qu'elles-mêmes, au moment de l'entrée dans l'étude, n'en avaient pas.

Cette cohorte est appelée la « Sister Study ».

Ces femmes, en raison de la présence d'un cas de cancer du sein chez un parent de premier degré, sont considérées à haut risque.

Elles ont été interrogées sur leurs éventuels contacts avec des solvants organiques.

Au terme de cette étude, il est apparu que celles de ces femmes qui avaient eu un contact régulier et/ou important avec ces solvants avant d'avoir leur premier enfant, avaient 40 % de risque supplémentaire de développer un cancer du sein dans leur vie.

Et clairement, ce risque concernait aussi les femmes de ménage ou les employées de maison, au même titre que les ouvriers de l'industrie chimique ou les personnels de laboratoire.

Alors, Mesdames, faites attention : le ménage peut parfois avoir de graves conséquences.

Le diesel, un carburant meurtrier

Octobre 2013. Coup de tonnerre dans l'industrie de l'automobile et dans le monde de la cancérologie.

Pour la première fois, après avoir pensé, pendant des années que cela était vrai mais sans jamais l'avoir affirmé de façon aussi nette, l'Agence internationale de recherche sur le cancer de l'Organisation mondiale de la santé, l'OMS, déclare dans son dernier rapport officiel que la pollution de l'air et notamment les particules issues de la combustion du diesel sont des substances cancérigènes de niveau I (voir classification des facteurs cancérigènes, p. 156). Cela signifie que leur pouvoir cancérigène est définitivement, scientifiquement, et indiscutablement prouvé.

La discussion, les doutes, les hypothèses et les contre-hypothèses, tout ça, c'est terminé. Fini. Les moteurs Diesel produisent des substances hautement cancérigènes !

Diesel et cancer du poumon : un lien clairement établi

Les scientifiques de l'OMS vont même plus loin.

Reprenant toutes les données de dizaines d'études sur la question, les 24 experts venant de onze pays différents sont arrivés à la conclusion que, en 2010, plus de 220 000 morts par cancer du poumon ont été dues à la pollution de l'air. C'est énorme. C'est incontestable. C'est dramatique et pourtant, la France reste le champion de la fabrication et de l'utilisation des véhicules roulant au diesel.

Alors, en fait, et comme à chaque fois, de quoi s'agit-il avec ce diesel ?

La lente pénétration des particules fines dans nos poumons

Il faut savoir que la combustion de ce carburant produit de multiples substances cancérigènes et que, parmi celles-ci, ce que l'on appelle les « particules fines » vont jouer un rôle capital dans la genèse des cancers du poumon.

Ce sont de toutes petites particules d'à peine 2,5 microns de diamètre, c'est-à-dire 2,5 millièmes de millier de millimètre.

C'est très petit !

Et comme c'est très petit, quand vous les respirez, ces particules vont aller jusqu'au plus profond de vos bronches, là où il va être très difficile pour votre organisme d'aller les chercher pour s'en débarrasser. Alors, elles restent coincées dans la périphérie de vos poumons et y exercent tranquillement, jour après jour, leur pouvoir maléfique, leur pouvoir cancérigène.

Cela va expliquer, en partie en tout cas, pourquoi de plus en plus de cancers du poumon surviennent à la périphérie des poumons et non, comme avant, quand j'ai commencé à devenir cancérologue il y a plus de trente ans, dans la partie centrale, au milieu de la cage thoracique.

Donc le diesel, en brûlant, émet des particules fines, appelées PM 2,5, que vous respirez et qui risquent de vous donner un cancer du poumon.

Les preuves scientifiques sont innombrables au point que même les fabricants de voitures Diesel n'essaient même plus de les contredire.

Même si, pendant un temps, ils se sont retranchés derrière l'impression rassurante que les pots avec filtre à particules aujourd'hui obligatoires à la sortie de tous les moteurs Diesel pouvaient atténuer ce risque.

Malheureusement pour nous, ces filtres n'arrêtaient que les grosses particules et pas les plus petites, celles de moins de 2,5 microns. Or ce sont celles qui sont les plus cancérigènes.

Un facteur cancérigène indiscutable

Il faut savoir que plus de 12 tonnes semble-t-il de particules PM 2,5 sont émises chaque année en France, essentiellement du fait de la combustion du diesel.

Douze tonnes qui vont terminer dans nos poumons.

Imaginez nos enfants en poussette, le visage à la hauteur des pots d'échappement et qui ramassent tous les jours sur le trajet de la crèche, des kilos de ces particules monstrueuses. Il faudrait, franchement, les promener avec un masque filtrant, comme des masques chirurgicaux ! Ou mieux, un masque à gaz…

De très nombreuses études ont prouvé ce lien entre cancer du poumon et combustion du diesel. Ainsi, par exemple, l'étude « Escape » publiée en 2014 regroupant 17 études de cohortes européennes portant sur au total 300 000 citoyens européens et qui conclut que chaque tranche de 10 µg de PM 2,5 par mètre cube d'air augmente le risque de cancer du poumon de 40 % ! Ou celle de nos collègues canadiens, portant sur le suivi de 188 699 personnes non fumeuses suivies pendant plus de vingt-cinq ans. Au cours de ce suivi, 1 100 personnes se sont vu diagnostiquer un cancer du poumon. Il a été trouvé que chaque tranche de 10 µg/m^3 de PM 2,5 augmentait le risque de ce cancer de 15 à 27 %.

Il y a également l'étude « Synergy », étude internationale, publiée en 2011, qui a regardé l'effet de l'exposition, cette fois professionnelle, au diesel en étudiant 13 304 cas de cancer du poumon comparés à 16 282 sujets sains et qui est arrivée à la conclusion que, par rapport à l'absence d'exposition, le fait d'être soumis à l'inhalation de ces particules augmentait le risque de cancer du poumon de 31 %.

Bon, je pourrais vous citer encore des dizaines d'études du même genre, mais je crois que c'est inutile.

Vous l'avez compris. Ce lien entre l'air pollué par le diesel que nous respirons et le risque de développer un cancer du poumon est indiscutable. Certaines études récentes semblent même montrer que l'exposition des fœtus à ces particules pendant la grossesse augmente le risque chez l'enfant de certains cancers comme le cancer de l'œil (le rétinoblastome).

Tout cela est consternant...

À quand un choix de santé publique ?

Lorsque vous vous révoltez à cause de la présence de pesticides dans l'alimentation ou de la fumée qu'un fumeur vous envoie sur la figure sur une terrasse de café, combien tout cela est en réalité moins grave que l'hécatombe due aux moteurs Diesel !

Pourquoi les pouvoirs publics continuent-ils à vendre le diesel moins cher en le taxant moins que l'essence qui, elle, du point de vue de la pollution de l'air, est beaucoup moins dangereuse ?

Le cancérologue que je suis et qui, depuis des années, voit mourir tous les jours des malades atteints de cancer du poumon, n'ose penser que c'est parce que nos deux grands fabricants de voitures sont les grands champions de véhicules Diesel...

Cela voudrait dire que l'État est prêt à payer de la vie de ses concitoyens le développement de notre industrie automobile.

Car, en réalité, à la sortie de la raffinerie, le diesel ne coûte pas beaucoup moins cher à fabriquer que l'essence normale. Alors pourquoi moins le taxer pour en favoriser la vente alors que toutes les preuves les plus indiscutables sont là aujourd'hui pour affirmer que le diesel tue ?

Le goût de vivre
et l'espoir de guérir

CHAPITRE 8

La prophylaxie par le bonheur

Dans ce presque dernier chapitre de ce livre dans lequel j'ai cherché à réunir, à recenser, les connaissances scientifiques les plus récentes sur tout ce qui touche au risque de cancer, j'ai décidé de m'éloigner un peu de cette science dure, formelle, réglée, avec ses études, ses tirages au sort, ses placebos et ses résultats indiscutables.

J'ai décidé de me laisser aller vers plus d'humain, à vous parler de quelque chose qui me touche, qui tient à mes convictions intimes et profondes, à ce genre d'émotion, de savoir instinctif, qu'aucune donnée scientifique ne vient forcément étayer, mais que je crois aujourd'hui important de partager avec vous.

Vous, mes lecteurs qui avez pris le temps de parcourir ces pages, de retenir ces informations parfois incroyables dans le but, sans doute, de changer un petit quelque chose à votre vie afin d'essayer justement de protéger cette vie ou celle de ceux qui vous sont chers.

Ce que je crois

Dans ce presque dernier chapitre, je veux vous dire ma conviction et vous raconter comment je mets en œuvre les implications logiques de cette conviction, et je le fais en ayant parfaitement conscience que, par cette démarche, je vais choquer, irriter nombre de mes collègues, médecins et scientifiques de tous bords.

Je suis intimement convaincu à présent, après avoir côtoyé des dizaines de milliers de malades, après en avoir vu mourir sans doute des milliers tout au long de ces trente-cinq ans de combats quotidiens contre le cancer, qu'il existe, contre cette maladie, une prophylaxie, c'est-à-dire un moyen de se protéger un peu, par le bonheur.

Ceux qui ont lu certains de mes livres ou entendu certaines interviews que j'ai pu donner par le passé vont bondir en se disant que j'ai donc changé d'avis.

Sans doute auront-ils raison.

Pendant de nombreuses années, je dois le reconnaître, j'ai été assez réfractaire à l'idée que le stress, le malheur, la tristesse puissent être à l'origine de l'apparition d'un cancer.

On l'a vu au début de ce livre, un cancer résulte toujours d'une altération de certains de nos gènes, écrits sur l'ADN de nos chromosomes. Et j'avoue qu'au cours de toutes ces années, j'avais du mal à imaginer comment des émotions, des sensations, des états d'âme, des chocs pouvaient provoquer de telles mutations physiques, des changements de position ou des répétitions malheureuses d'une ou de quelques lettres génétiques au sein de nos gènes.

Enfin, imaginez : vous avez des molécules (ATCG) qui écrivent le contenu de nos gènes sur l'ADN de nos chromosomes, à l'intérieur des cellules qui constituent nos corps, et une émotion, un état, voire un choc psychologique viendraient attaquer ces lettres, en les déplaçant, les effaçant, les dédoublant, provoquant alors ces fameuses mutations de l'ADN à l'origine de tous les cancers ?

Mais comment, avec la science de l'époque, pouvions-nous y croire sérieusement ?

En réalité, je dois reconnaître que même si j'avais le sentiment intime que mon statut public d'homme de science m'interdisait de l'exposer publiquement, il me semblait que cela était impossible.

Cela ne l'est plus aujourd'hui. Et la science, ici, devient science-fiction. La découverte de l'extraordinaire complexité des mécanismes de transmission des informations entre les cellules de notre corps, d'une cellule à l'autre et de la surface de chaque cellule vers son contenu profond, vers son noyau où se trouve, normalement à l'abri (mais finalement pas tant que ça) notre ADN, nous permet aujourd'hui d'entrevoir la subtilité infinie de tout ce qu'une cellule peut dire à une autre, ce qu'une cellule peut percevoir de ce qui se passe par ailleurs dans le corps qui l'héberge et des conséquences incroyables de ce qu'elle est capable de transmettre à son cœur-noyau, à son ADN. Que ce soit une transmission en bien, pour que celui-ci, en mettant en jeu les gènes nécessaires, lui permette de s'adapter à toutes ces situations, à toutes ces émotions, à survivre malgré tout, envers et contre tous les aléas de la vie, des rencontres de notre organisme, qu'il s'agisse de rencontres infectieuses ou émotionnelles ou, qu'il s'agisse d'une transmission en mal pour provoquer des altérations, qui mal réparées, vont aboutir à cette catastrophe qu'est le cancer.

Oui, j'ai l'intime conviction que notre vie spirituelle interfère avec notre ADN et est susceptible, selon, d'être prophylactique ou, au contraire, terriblement délétère !

Je crois aujourd'hui, arrivé à près de 60 ans, que le bonheur peut être prophylactique, et peut avoir un rôle de protection dans le cancer. Bien sûr, et ne me faites pas dire ce que je n'ai pas dit, je reconnais qu'aucune étude sérieuse, publiée dans un de ces grands journaux scientifiques que je cite d'un bout à l'autre de ce livre, n'a jamais prouvé que cette conviction était scientifiquement vraie. De manière sérieuse et indiscutable, je veux dire.

Ni dans le sens que le stress donne à lui seul le cancer ni à l'inverse que le fait d'être heureux nous met définitivement à l'abri de ce genre de risque.

C'est vrai. Rien n'est démontré.

Mais là, ce n'est plus l'homme de science qui parle, c'est l'homme tout court. Celui, qui, humblement, comme vous tous, a peur du cancer. L'homme qui croit parfois en Dieu, même si là aussi la science n'en a jamais démontré l'existence.

Dans ce chapitre, je ne parle plus de science mais simplement de ce que je crois. Pas pour vous en convaincre, pas, non plus, par prosélytisme. Juste parce que j'avais envie dans ce rapport avec vous, à chaque livre plus personnel, plus intime, j'avais envie de vous ouvrir un domaine qui touche à l'émotion, à la spiritualité.

Ce que l'on vit
n'est pas sans conséquence

Toute ma vie, je n'ai pu m'empêcher de constater l'existence d'un drame psychologique dans les années qui précédaient l'apparition d'un cancer chez la plupart de mes patients.

Est-ce que cela veut dire que tous ceux d'entre vous qui vivent des moments émotionnellement difficiles vont nécessairement développer un cancer dans les années à venir ? Certainement pas.

Est-ce que cela veut dire que sans ce drame, sans ce choc, le cancer qu'un patient présente aujourd'hui ne se serait pas produit ? Certainement pas non plus.

Alors, de quoi parle-t-on ?

Simplement que, dans cette séquence d'événements qui accumulent leurs effets néfastes sur nos chromosomes, provoquant à terme les mutations irréversibles à l'origine du cancer, certains de ces événements peuvent être selon moi, non pas de nature physique comme la consommation d'un mauvais aliment, de nature comportementale ou environnementale comme une exposition malheureuse au soleil ou à une fumée de diesel malencontreusement inhalée, mais de nature émotionnelle, spirituelle.

Un drame ou un choc psychologique, mal vécu, mal toléré, peut-être même mal exprimé, va générer une information transmise à certaines cellules de notre corps, qui vont, en captant ce message à travers l'infini réseau de récepteurs que chacune d'entre elles possède à sa surface, réagir en mettant en œuvre des processus biochimiques délétères sur leur ADN.

Est-ce que cela est prouvé, scientifiquement ?

En partie oui. Nous savons que le stress comme d'ailleurs certaines émotions peuvent agir sur notre système immunitaire, celui qui en principe nous protège de tout ce qui est susceptible de nous nuire. Et l'on sait bien, par exemple, que c'est le plus souvent dans ces conditions qu'apparaissent les crises d'herpès labial, les fameux « boutons de fièvre ».

Si ce système de protection est capable de faire défaut, sous l'effet d'émotions ou de stress, dans sa capacité à empêcher le développement d'une infection virale, pourquoi n'en serait-il pas de même vis-à-vis du développement d'une tumeur ?

Les mécanismes immunitaires mis en jeu dans les deux cas sont sensiblement similaires, alors, si un élément peut diminuer la vigilance de nos effecteurs immunitaires antiviraux, cette vigilance, croyez-moi, peut être tout aussi affectée vis-à-vis de leur fonction de défense contre le cancer.

J'en suis arrivé à cette conclusion, un peu comme pour le pari de Pascal, que de la même manière qu'il faut soigner son alimentation ou faire attention à ne pas fumer, il vaut mieux essayer de trouver un moyen de lutter contre ce stress et de positiver autant que faire se peut.

Ma méthode pour me ressourcer

C'est en cherchant ce moyen, qu'un jour, j'ai conçu cette méthode de relaxation basée sur une séquence dont la répétition quasi quotidienne me permet de gérer au mieux ce stress qui est le mien.

Soigner des gens gravement malades, assurer la responsabilité de leur vie ou de leur mort, de leur souffrance, de leurs doutes, de leur chagrin et de leur désespoir, se battre et perdre si souvent, qu'y a-t-il de plus stressant, de plus triste, perdre ses malades, perdre ses combats, perdre ses espoirs ? Aller à l'hôpital tous les matins depuis si longtemps en sachant le fardeau, émotionnellement devenu trop lourd, que cette nouvelle journée de lutte contre le cancer va mettre sur mes épaules fatiguées.

Comment contrôler ce stress, comment ressourcer mon courage, mon envie de me battre, d'y croire ne serait-ce que pour un seul malade de plus ?

Voilà pourquoi cette technique a été aussi importante pour moi. De quoi s'agit-il ?

Oh, vraiment de pas grand-chose ou en tout cas, rien de bien extraordinaire.

Et surtout, je ne suis pas là pour vous dire que c'est ce qu'il faut que vous fassiez aussi.

Chacun doit trouver, s'il pense comme moi que c'est important à la sauvegarde de sa vie, son propre chemin, sa propre voie vers un peu de sérénité, un peu de ce bonheur que je crois prophylactique du cancer.

Alors voilà !

Tous les matins, après avoir pris mon thé vert, quelques fruits et mes comprimés contenant le top 7 de mes anticancers, associés à un peu de calcium pour la prévention des polypes dont je vous ai parlé dans ce livre et que j'ai finalement réussi à me faire fabriquer, je m'installe par terre, sur un tapis sur lequel j'ai posé une couverture chauffante. Je m'allonge dessus, torse nu et je sens la chaleur me pénétrer doucement à travers le dos. Je suis dans une pénombre bienveillante, dans le silence.

Je commence par *vider* mon esprit.

J'arrive à obtenir cet état de détente par des techniques de relaxation proches du yoga. Je ralentis et contrôle de plus en plus ma respiration en prolongeant au maximum mes expirations, un peu comme si, petit à petit, je m'affranchissais de ce besoin naturel de respirer. Je sens que mon cœur ralentit sous l'effet de ce contrôle respiratoire. J'ai les yeux fermés. Je vide mon esprit de toute pensée. Je me concentre sur les battements de mon cœur et le bruit, très doux, de ma respiration. En une dizaine de minutes, avec de l'entraînement, j'arrive à avoir le sentiment d'un immense vide mental.

À ce moment, j'*imagine* des éléments heureux.

Un peu comme dans le film *Soleil vert*, au moment où le vieil homme, interprété par Edward G. Robinson, accepte d'être euthanasié. Ceux qui vont le tuer lui offrent alors quelques minutes d'un ultime bonheur : des images splendides de ce qu'il y a de plus beau dans la nature, sur une très belle musique, défilent devant ses yeux, imprimant de leur beauté les dernières images que sa rétine emportera dans la mort.

J'imagine pendant quelques petites minutes, de belles choses, de belles images, je me remémore des moments de grand bonheur. Je stimule mes sens par des sensations virtuelles qui touchent, qui approchent, qui ressemblent au bonheur.

Je suis bien.

Alors, je mets en œuvre une technique de *détente* par visualisation.

Je pense à chaque petite partie de mon corps pour la détendre. Je commence par les doigts et je remonte le long des membres. Je visualise spirituellement chacune de ces parties. Je ne suis plus moi. Moi entier, je veux dire. Je suis mes doigts, chacun de mes doigts et je les détends. Puis, je suis mes mains et mes poignets, et je les détends. Je suis ensuite mes avant-bras et mes coudes et je les détends. Et ainsi de suite. Jusqu'à avoir compris que chaque partie de moi était importante, car elle était moi et que ce moi doit se détendre, se relâcher, en relaxant chacune de ces parties sur laquelle, tour à tour, je me concentre.

Je suis très bien.

Enfin, je vais chercher à remplir mon esprit d'*amour*.

Aimer la vie, aimer ma vie et celle de ceux qui me sont chers. Je passe en revue tout ce que j'aime, que j'ai envie à cet instant, ce jour-là, d'aimer. Un être, une musique, un plat, un sourire, qu'importe ! Je me dis que la vie doit être aimée. Que tout va bien. Que je n'ai pas de cancer, pas encore, pas aujourd'hui. Je m'entoure spirituellement d'amour. J'en fais une barricade, un mur protecteur tout autour de moi, de mon esprit avec la conviction, qu'à cet instant en tout cas, à l'intérieur de ce mur, de cette enceinte, là où je suis en ce moment, l'amour qui est dans mon cœur fait que « tout va bien ».

Ces mots qu'enfant, malade, ma mère me répétait pour me rassurer, pour me promettre que je ne mourrais pas, pas là, pas dans ses bras protecteurs : « Mon chéri, tout va bien. »

Je sens cet amour de la vie et de tout ce que la vie m'accorde comme une vibration, une énergie qui emplit mon corps et mon esprit et me réconforte, m'encourage et me prépare à ce qui sera ma journée.

Puis, comme engourdi, je me lève doucement, reprends petit à petit contact avec la réalité et file sous la douche pour me préparer.

Tout cela n'aura duré qu'une vingtaine de minutes, parfois un peu plus quand le stress à évacuer est particulièrement important.

Mais ces quelques dizaines de minutes que je m'accorde sont une source de réel bonheur. Ces minutes me sont devenues indispensables et je fais tout mon possible pour me les accorder. C'est devenu aujourd'hui dans ma vie, quelque chose de très important que ce moment de relaxation.

Je dois reconnaître que ce n'est pas facile, au début surtout. Il faut apprendre à apprivoiser ce que ce mot implique.

Contrôler sa respiration, visualiser des images spirituelles, se projeter mentalement dans des parties de son corps et trouver assez d'amour pour toutes les choses, tous les jours même quand parfois ça va mal, quand la vie est dure, pénible, qu'avec la perte d'un ami ou d'un malade, elle prend alors ce goût si amer. Mais j'aime trop la vie pour ne pas la défendre à chaque fois chez mes malades et pour essayer, par tous les moyens possibles de la protéger, de la préserver, de la prolonger parfois simplement, quand bien même il s'agirait de la mienne.

En fait, cette technique est une forme de méditation. La différence est que, généralement, la méditation cherche à créer le vide, le néant dans la tête et ce vide est alors une fin en soi. La sérénité dans la plupart des techniques de méditation vise à obtenir ce vide de l'esprit, à arriver à abandonner toute pensée, tout ce qui pourrait remplir ce vide.

Dans mon schéma, le vide est nécessaire mais il n'est en rien une fin. Il est là pour être rempli dès que possible par des images, des pensées positives pleines d'amour.

Cela peut passer par une simple check-list de tout ce qui va bien, y compris les choses les plus simples : je vais bien, je n'ai mal nulle part, mes enfants vont bien, ou des choses encore plus simples comme le fait d'avoir du travail, d'être aimé par quelqu'un, d'avoir bientôt des vacances...

Qu'importe, l'important est de voir ce qu'il y a de positif, d'heureux dans l'instant présent.

Voilà.

Vous aussi, cherchez comment donner plus de place aux choses heureuses dans votre esprit, tous les jours, ne serait-ce que quelques minutes, pour retrouver le chemin de ce bonheur peut-être prophylactique.

Les tout nouveaux chemins de l'espoir

Nous arrivons ensemble à présent à la fin de ce livre.

J'y ai mis tous mes derniers conseils anticancer, ceux en tout cas qui me semblaient intéressants.

Ce nouveau livre correspond à une masse importante d'informations sur tout ce qui de près ou de loin, que ce soit confirmé par la science ou simplement le fruit d'une intuition, d'une conviction personnelle, touche au risque de développer un cancer.

Ce n'est pas rien !

Le cancer, je vous le rappelle, affecte aujourd'hui un homme sur deux en France et une femme sur trois. Ce nombre ne cesse d'augmenter, doublant à peu près tous les vingt ans.

C'est énorme et, je pense que vous serez d'accord avec moi, cette progression a de quoi faire peur.

Alors si, grâce à mes conseils, vous arrivez à réduire ne serait-ce que de 1 à 2 % votre risque d'avoir un cancer, si grâce à mes conseils, vous prenez conscience de la possibilité, certes je le reconnais très limitée, mais de la possibilité quand même de changer quelque chose dans l'alimentation ou les comportements de vos enfants, vous réduirez leur risque d'avoir, demain, lorsqu'ils seront adultes, un cancer à leur tour, alors je n'aurai pas fait pour rien ce travail de compilation d'études, de résultats, de recherches que je vous ai livré le plus simplement possible dans ces pages.

Car si, pour moi, le travail s'achève, il commence à peine pour vous si vous décidez d'essayer de vous aider à prévenir cette maladie. Changer des habitudes n'est jamais très simple.

J'ai préparé pour vous un fantastique tableau récapitulatif où, avec mes amies et collaboratrices, Laura Zuili et Nathalie Hutter-Lardeau, nous avons essayé de synthétiser d'une manière pratique tout ce savoir sur ce qui augmente ou diminue le risque de cancer. Nous avons cherché à quantifier ce risque, d'une manière bien sûr toute relative et à vous donner, pour la plupart des aliments passés en revue, les limites de nos apports pour chacun de ces éléments étudiés.

Il s'agit d'un tableau certes ni exhaustif ni parfait, mais c'est un outil assez complet et rédigé d'une manière assez raisonnable qui pourra vous être d'une grande utilité dans votre vie quotidienne ; une référence, un aide-mémoire de la prévention du cancer.

Je vous livre également une série de fiches très synthétiques sur chacun des cancers les plus fréquents. Je les ai réalisées avec un de mes collègues, très sérieux, le docteur Gabriel Malouf.

Ces fiches, une par type de cancer, résument l'essentiel des données, notamment en matière d'épidémiologie (nombre de cas, nombre de morts…), de facteurs de risque (ce qui augmente ou diminue le risque), de pronostic (quelle est la probabilité de guérir, de vivre à cinq ans, dix ans…) et enfin, et je dirais surtout, quelques phrases qui expliquent les raisons d'espérer pour chaque cancer.

Ce n'est pas un hasard si le premier livre que j'ai publié, alors que j'étais tout jeune, s'appelait déjà : *Les Chemins de l'espoir*. J'y expliquais d'où, à mon avis, viendraient les progrès dans cet avenir qui est devenu notre présent. Ces progrès qui nous permettraient de guérir davantage de patients, de soulager davantage de douleur et qui, en ouvrant enfin des perspectives un peu plus optimistes, redonneraient à tant de patients le courage et l'envie de se battre !

Comme je l'ai dit, ce futur est devenu notre présent.

Ces espoirs, ces progrès sont-ils advenus ?

La science a-t-elle accompli les promesses qu'elle nous tenait il y a dix ou vingt ans ?

Je dois dire que la réponse est sans discussion possible : oui.

Un oui ferme, un grand oui.

La science a fait des avancées spectaculaires au cours de ces vingt ans. Elle est parfois même allée au-delà de ce sur quoi nous comptions raisonnablement. Nous n'avons jamais comme aujourd'hui aussi bien compris comment une cellule, normale au départ, devenait cancéreuse. Nous avons mis en évidence des dizaines de mécanismes que cette cellule, une fois devenue maligne, est capable de mettre en jeu pour se reproduire de façon infinie, pour assurer coûte que coûte sa survie et celle de sa descendance, même si cela va tuer l'hôte qui l'héberge.

Nous avons découvert comment elle faisait pour devenir si forte, si résistante aux chimiothérapies les plus toxiques, aux rayons les plus efficaces.

Et parce que nous l'avons compris, la mise au point des médicaments parfaitement intelligents, totalement spécifiques à chacun des processus qui définissent ou accompagnent sa malignité, est devenue possible.

Ces médicaments, que l'on appelle des « thérapeutiques ciblées », sont enfin arrivés au lit du malade.

Ils ont, à un prix il est vrai considérable qui finira par poser le problème de l'accès pour tous aux meilleurs soins, bouleversé le pronostic de nombre de cancers.

Comme il est loin le temps de mes débuts en cancérologie. À cette époque, le pronostic du cancer dépendait d'une loi très simple du tout ou rien : être opérable au moment du diagnostic et avoir alors une chance de guérir ou être inopérable et la mort ne tardait généralement pas à arriver.

Aujourd'hui, le taux de guérison est de 85 % pour les cancers du sein, de 75 % pour les cancers du côlon ou de la prostate, de 95 % pour ceux du testicule et pour certaines leucémies, de 85 % pour les cancers de l'enfant.

Même dans les cancers les plus graves comme ceux du poumon ou du pancréas, des progrès ont été ou sont en train d'être réalisés. Dans le cancer de la thyroïde et du rein, dans les cancers de la moelle et dans tant d'autres tumeurs...

Nous sommes résolument, indéniablement, en train de marcher sur ces fameux chemins de l'espoir.

Rien n'est certainement plus gratifiant pour nous, oncologues ou cancérologues, comme il vous plaira de nous appeler, que de voir que là où il y avait une maladie incurable, il y a aujourd'hui des traitements qui permettent même souvent de se passer de l'aide de toute chimiothérapie, et qui conduisent soit à la guérison, soit à la transformation du cancer en une maladie chronique, au même titre que la plupart des maladies modernes comme l'hypertension ou le diabète. Mais ces merveilleux résultats ont une conséquence : ils rendent encore plus insupportables les échecs auxquels nous sommes encore confrontés. Perdre un malade est sans doute plus terrible encore, un peu comme ce sentiment de frustration que l'on peut avoir en pensant au dernier soldat tué dans une guerre, juste avant que l'armistice et la paix ne soient signés.

C'est pour eux surtout, en leur souvenir que j'ai décidé de tout mettre en œuvre pour essayer d'agir en matière de prévention.

Éviter le cancer, c'est encore le meilleur moyen d'éviter d'en mourir !

Cahier pratique

Tableau des aliments

Introduction générale

Il n'y a pas d'aliment miraculeux, il n'y a pas non plus d'aliment interdit.

Chacun des aliments contient de multiples composés aux effets bénéfiques. Certaines substances peuvent être nocives si elles sont consommées en excès. Cependant, même le produit le plus sain possible (les haricots verts par exemple) consommé de manière excessive conduira à des carences ou à des apports nocifs pour notre santé.

Tout est une question de portion (la valeur calorique permet de se repérer par rapport à ses besoins) et de fréquence de consommation, d'où nos recommandations pour éviter toute carence en micronutriments ou excès en substances nocives.

Ce tableau permet de constituer une alimentation équilibrée qui est la base de l'alimentation santé.

Certains produits seront à privilégier particulièrement pour prévenir ou lutter contre le cancer.

Ce sont les top 7 des aliments anticancer :

La grenade
L'ail
Le sélénium
Le curcuma
La quercétine
Le thé vert
Le brocoli

On les trouve aujourd'hui dans des comprimés de compléments alimentaires.

Conseils universels :
• Maîtriser son poids (éviter surpoids et variations de poids).
• Essayer de d'avoir un rythme alimentaire régulier le plus souvent sans s'interdire les repas festifs et conviviaux.
• Varier et consommer des aliments de chacune des catégories, dans les portions et fréquences recommandées, pour profiter au maximum de leurs bénéfices nutritionnels (notamment antioxydants/cancer).
• Avoir une activité régulière (marche ou vélo par exemple).

Les aliments : bienfaits et/ou risques anticancer

Les aliments par catégorie	Intérêt nutritionnel	Avis santé	Portion et calories	Fréquence recommandée

Céréales, biscuits et viennoiseries

• Tous les pains présentent un intérêt nutritionnel par leur composition riche en glucides complexes et pauvres en lipides. La composition nutritionnelle des pains varie selon le degré de raffinage des farines. Plus les farines sont complètes, plus elles sont riches en protéines, fibres, sels minéraux et vitamines du groupe B et donc plus intéressantes.

• Au quotidien, consommez différentes variétés de pain en variant les céréales au cours de la semaine (blé, maïs, orge, épeautre) pour bénéficier de toutes leurs qualités. Au petit déjeuner et au goûter, préférez le pain aux viennoiseries plus riches en graisses. Un croissant, comme un pain au chocolat par exemple, apporte 10 à 15 g de lipides, c'est-à-dire de gras, alors que le pain a une faible teneur en lipides quelle que soit la recette. N'oublions pas toutefois de prendre en considération ce que l'on ajoute sur le pain – beurre, confiture ou pâte à tartiner – qui alourdit la note calorique.

• Les biscottes ou certaines céréales du petit déjeuner contribuent à la couverture des besoins nutritionnels, mais elles représentent un apport en glucides simples plus élevé que le pain, au détriment des glucides complexes. Leur consommation est déconseillée de manière quotidienne.

• Les autres viennoiseries comme les beignets par exemple sont très riches en graisses de mauvaise qualité, d'autant qu'ils sont frits, et sont à consommer de manière très occasionnelle en s'assurant de la qualité de l'huile de friture.

• Tous les produits grillés, biscottes ou pain, sont également à consommer de manière occasionnelle en raison des composés cancérigènes qui se forment à la cuisson à haute température.

Boulangerie et céréales

Les aliments par catégorie	Intérêt nutritionnel	Avis santé	Portion et calories	Fréquence recommandée
Biscotte	Forte teneur en acrylamide	À éviter	50 g/210 calories	Très occasionnellement
Blé	Riche en fibres Présence de gluten	À consommer régulièrement (sauf en cas de maladie cœliaque)	Une portion de 150 g de blé cuit type Ébly/230 calories	3 fois par semaine en alternance
Épeautre	Riche en protéines fibres magnésium	À recommander	30 g de farine/ 100 calories	1 fois par semaine en alternance
Graines de lin	Riche en oméga-3	Gamme de produits « Bleu-Blanc-Cœur » à privilégier en cas de risque cardio-vasculaire sévère	30 g/160 calories	1 fois par mois Pas trop pour les hommes

Les aliments par catégorie	Intérêt nutritionnel	Avis santé	Portion et calories	Fréquence recommandée
Maïs (pain)	Sans gluten Source d'anthocyanes	À privilégier en cas d'intolérance au gluten ou de digestion difficile et gonflement intestinal	50 g/200 calories	1 fois par semaine en alternance
Orge	Riche en bêta-glucanes, fibres et tocotriénols	À recommander	30 g de farine/ 100 calories	1 fois par semaine en alternance
Pain blanc	Sucre simple Riche en fibres	À modérer	50 g/145 calories	À chaque repas en alternance avec d'autres variétés de pain ou féculents
Pain complet	Riche en fibres et glucides complexes	À privilégier	50 g/110 calories	À chaque repas en alternance avec d'autres variétés de pain ou féculents
Pain multicéréales	Riche en fibres	À privilégier	50 g/115 calories	À chaque repas en alternance avec d'autres variétés de pain ou féculents
Petit épeautre	Riche en magnésium phosphore et calcium	À privilégier	30 g de farine/ 100 calories	1 fois par semaine en alternance
Quinoa	Très riche en magnésium, en fer non héminique, source de protéines végétales présence de 8 acides aminés essentiels Riche en fibres	À privilégier	Une portion de 150 g de quinoa cuit/220 calories	3 fois par semaine en alternance
Sésame	Riche en protéines et en fibres	À privilégier	30 g de farine/100 calories	1 fois par mois
Biscuits sucrés, salés, viennoiseries				
Beignet	Riches en matières grasses et dérivés cancérigènes de la friture	À éviter	350 calories pour un beignet de 100 g	Occasionnellement

Aliment	Description		Calories	Fréquence
Biscuits salés	Très caloriques (matières grasses et sels) et peu satiétogènes (pas d'eau)	À éviter	30 g/150 calories	Occasionnellement en quantité limitée
Chips	Très caloriques (matières grasses) et sel et peu satiétogènes (pas d'eau) Forte teneur d'acrylamide	À éviter	30 g/160 calories	Occasionnellement en quantité limitée
Cookies	Très caloriques (matières grasses et sucres) et peu satiétogènes (pas d'eau)	À modérer	70 g/350 calories	Occasionnellement en quantité limitée
Croissant	Riche en matières grasses (beurre ou autre huile) saturées ou trans	À modérer	250 calories pour un croissant de 60 g	Occasionnellement en quantité limitée
Gâteaux apéritifs salés	Très caloriques (matières grasses et sel) et peu satiétogènes (pas d'eau)	À éviter	30 g/150 calories	Occasionnellement en quantité limitée
Gâteaux secs nature	Très caloriques (matières grasses et sucres) et peu satiétogènes (pas d'eau)	À modérer	15 g/60 calories	Occasionnellement en quantité limitée
Gâteaux secs au chocolat ou autres fourrages	Très caloriques (matières grasses et sucres) et peu satiétogènes (pas d'eau)	À modérer	15 g/70 calories	Occasionnellement en quantité limitée
Madeleine	Très caloriques (matières grasses et sucres) et peu satiétogènes (pas d'eau)	À modérer	30 g/140 calories	Occasionnellement en quantité limitée
Pain au chocolat	Riche en matières grasses	À modérer	300 calories pour un pain au chocolat de 80 g	Occasionnellement en quantité limitée

Les aliments par catégorie	Intérêt nutritionnel	Avis santé	Portion et calories	Fréquence recommandée
Pain d'épice	Ne contient pratiquement pas de matières grasses Que des glucides complexes et simples	À modérer	30 g/100 calories	Occasionnellement et pour les sportifs par exemple
Pop-corn	Riche en glucides complexes mais aussi en lipides Riche en sucre ou en sel selon les versions Présence d'acrylamide	À éviter	1 poignée de 10 g/40 calories (un bol moyen au cinéma 160 calories)	Très occasionnellement

Légumineuses

- Riches en protéines et en glucides complexes et en fibres, les légumineuses contribuent à une bonne satiété.
- Elles sont également riches en vitamines et minéraux dont notamment le sélénium qui aide à lutter contre le vieillissement.

Arachide	Riche en antioxydants minéraux folates et même resvératrol Riche en matières grasses saturées Attention aux allergies	À limiter compte tenu de la charge calorique	Une poignée de 30 g/200 calories	Occasionnellement
Fèves	Bonne source de protéines végétales	À recommander	Portion de 150 g de fèves fraîches/100 calories Portion de 150 g de fèves sèches/ 175 calories	1 fois par semaine en alternance avec d'autres légumineuses et céréales surtout en cas de régime végétarien pour éviter les carences en acides aminés essentiels

Haricots secs	Bonne source de protéines végétales	À recommander	Portion de 150 g/150 calories	1 fois par semaine en alternance avec d'autres légumineuses et céréales surtout en cas de régime végétarien pour éviter les carences en acides aminés essentiels
Lentilles	Bonne source de protéines végétales	À recommander	Portion de 150 g/150 calories	1 fois par semaine en alternance avec d'autres légumineuses et céréales, surtout en cas de régime végétarien pour éviter les carences en acides aminés essentiels
Pois cassés	Bonne source de protéines végétales	À recommander	Portion de 150 g/180 calories	1 fois par semaine en alternance avec d'autres légumineuses et céréales, surtout en cas de régime végétarien pour éviter les carences en acides aminés essentiels
Pois chiches	Bonne source de protéines végétales	À recommander	Portion de 50 g/70 calories	1 fois par semaine en alternance avec d'autres légumineuses et céréales, surtout en cas de régime végétarien pour éviter les carences en acides aminés essentiels
Soja	Excellente source de protéines Contient des phyto-œstrogènes	À recommander +++	100 g de pousses de soja/140 calories	3 fois par semaine sous différentes formes (huile, graine, germe pousse ou tofu)

Les aliments par catégorie	Intérêt nutritionnel	Avis santé	Portion et calories	Fréquence recommandée
Féculents				
• Les féculents apportent des glucides complexes (index glycémique variable en fonction de la cuisson et de l'accompagnement) et des protéines. • À recommander pour l'effet satiétogène et l'énergie progressive qu'ils fournissent. Attention à ne pas ajouter une trop grande quantité de matières grasses. • À alterner avec le pain et autres céréales complètes.				
Patate douce	Contient des glucides complexes et des anthocyanes	À privilégier	Portion de 150 g cuite à l'eau/120 calories	3 fois par semaine en alternance avec les autres féculents (pomme de terre, riz...)
Pâtes	Riches en glucides (index glycémique variable selon la cuisson)	À privilégier	Portion de 150 g cuite à l'eau/100 calories	3 fois par semaine en alternance avec les autres féculents (pomme de terre, riz...)
Pâtes au blé complet	Présence importante de fibres Index glycémique intéressant	À recommander	Portion de 150 g cuite à l'eau/ 100 calories	3 fois par semaine en alternance avec les autres féculents (pomme de terre, riz...)
Petits pois	Sources de lutéine	À recommander	Portion de 150 g/100 calories	1 fois par semaine
Pomme de terre	Riche en glucides Index glycémique variable selon la cuisson	À privilégier en version à cuisson à l'eau	Portion de 150 g cuite à l'eau/100 calories	3 fois par semaine en alternance avec les autres féculents (pâtes riz...)
Pommes de terre frites	Forte teneur en matières grasses et en composés toxiques issus du chauffage des huiles	À éviter Ou privilégier les nouveaux modes de cuisson plus sains et moins riches en huile	Portion de 150 g à 20 % de matières grasses/ 600 calories/dans l'Actifry, 300 calories	1 fois par mois

Aliment	Description	Recommandation	Portion / calories	Fréquence
Purée	Index glycémique meilleur pour une version maison/à industrielle en flocon	À privilégier	Portion de 150 g sans beurre/150 calories Une noisette de beurre de 5 g 40 calories	1 fois par semaine en alternance avec les autres féculents (pâte riz..)
Riz	Riche en glucides complexes Sans gluten	À consommer régulièrement	Une portion de 150 g de riz cuit/200 calories	3 fois par semaine
Riz complet	Riche en glucides complexes Sans gluten	À privilégier	Une portion de 150 g de riz complet cuit/230 calories	3 fois par semaine en alternance avec les autres céréales

Sucres et dérivés

• Les sucres sont indispensables au bon fonctionnement de l'organisme. Transformés en glucose, ils permettent à nos muscles de se contracter, alimentent notre cerveau en énergie tout au long de la journée. Nous avons cependant tendance à en consommer « trop ».

• Depuis 2003, l'Organisation mondiale de la santé (OMS) recommande, notamment pour la prévention des maladies chroniques, que les sucres libres (sucres ajoutés et jus de fruits) ne constituent pas plus de 10 % des apports caloriques quotidiens. Dans le cadre d'une alimentation fournissant 2 000 calories cela représente donc 200 calories soit 50 g de sucre.

• À noter qu'un jus de fruit ou un soda apporte autour de 20 g de sucre par verre (presque de 40 g par canette de 33 cl !).

• Afin de limiter cet apport, il existe des aliments sans sucre et avec édulcorant, à faible valeur énergétique.

Aliment	Description	Recommandation	Portion / calories	Fréquence
Aspartame	Goût sucré	À privilégier en remplacement du sucre habituel en période de contrôle de poids	Faible valeur calorique	Quotidiennement
Bonbons	Riches en sucre et sans valeur nutritionnelle	À éviter	20 calories pour un bonbon de 5 g	Très occasionnellement
Confiture	Riche en sucre et moindre intérêt nutritionnel que les fruits d'origine	À modérer	30 g/75 calories	Très occasionnellement

Les aliments par catégorie	Intérêt nutritionnel	Avis santé	Portion et calories	Fréquence recommandée
Fructose	Utilisé en industrie Augmente la glycémie plus rapidement/risque de diabète en surconsommation	À éviter en ajout À privilégier si source naturelle dans les fruits grâce à la présence de fibres	4 calories par gramme	Très occasionnellement
Miel	Riche en fructose naturel	À privilégier	10 g/30 calories	Occasionnellement
Pâte à tartiner	Très calorique Riche en sucre et gras, souvent de l'huile de palme, et sans intérêt nutritionnel majeur	À limiter	100 g 550 calories La portion de 15 g/83 calories	Très occasionnellement
Pâte de fruits	Très riche en sucre et intérêt nutritionnel moindre que les fruits d'origine	À limiter	15 g/30 calories	Très occasionnellement
Saccharose	Apporte de l'énergie sans aucune autre valeur nutritionnelle (sans vitamine et sans minéraux)	À modérer	Un morceau de sucre de 5 g/20 calories	1 à 2 morceaux par jour/ quantité à équilibrer dans son alimentation en fonction des autres apports de sucres (confitures, sodas et jus de fruits, gâteaux, ketchup...)
Sirop d'agave	Pouvoir antioxydant bas équivalent au sucre	À modérer	3 calories/g	Très occasionnellement
Stévia	Goût sucré	À privilégier en remplacement du sucre habituel en période de contrôle de poids	0 calorie	Pas assez de recul pour formuler des conseils

Viandes

• La viande est intéressante pour sa teneur en protéines dont l'ensemble des acides aminés essentiels sont présents, pour sa richesse en vitamine B12 et en fer pour les viandes rouges particulièrement.
• Une consommation 3 fois par semaine est recommandée en privilégiant les modes de cuisson santé (braisage, plancha, four) et en évitant les grillades.

Abats	Riche en hémoglobine Peu calorique	À modérer	100 g de foie de veau/128 calories	Très occasionnellement
Bœuf	Riche en fer Taux de matières grasses variable	À modérer	100 g steak haché 5 % de matières grasses/125 calories	1 fois par semaine En alternance avec d'autres viandes
Boudin noir	Riche en fer héminique Très calorique	À éviter	100 g/261 calories	Très occasionnellement
Grillades	Mode de cuisson cancérigène riche en hydrocarbures polycycliques	À éviter	100 g de bifteck grillé/149 calories	Très occasionnellement
Lapin	Profil en acides gras intéressant Peu calorique	À privilégier	100 g de râble/165 calories	Bon substitut à la viande de bœuf
Mouton	Taux de matières grasses élevé	À modérer	100 g de gigot de mouton/250 calories	1 fois par semaine au maximum
Porc	Taux de matières grasses variable	À modérer pour les morceaux les plus gras	100 g de rôti de porc/250 calories	1 fois par semaine En alternance avec le bœuf
Steak tartare	Attention aux conditions sanitaires Présence de fer héminique	À privilégier	100 g de steak haché 5 % cru/158 calories	1 fois par semaine en alternance
Travers de porc	Taux de matières grasses élevé et cuisson cancérigène	À éviter	100 g de travers de porc/300 calories	1 ou 2 fois pendant l'été
Veau	Profil en acides gras intéressant Peu grasse Plus faible en fer que le bœuf	À privilégier	Escalope de veau 100 g/130 calories	1 fois par semaine en alternance

Les aliments par catégorie	Intérêt nutritionnel	Avis santé	Portion et calories	Fréquence recommandée
Volaille	Faible taux de matières grasses	À privilégier	Blanc de poulet, dinde, canard, pintade 1 portion = 100 g/180 calories Oie/275 calories	2 fois par semaine

Charcuteries

• La composition des produits de charcuterie est très variable et nécessite de bien lire les étiquettes, la provenance.

• Généralement sources de protéines, riches en matières grasses (avec un profil toutefois équilibré grâce à des teneurs élevées en AGMI), riches en sel, certaines préparations industrielles incorporent des additifs (nitrates, phosphates, etc.).

• Leur consommation doit rester très occasionnelle, surtout pour les produits les plus gras et les charcuteries industrielles.

Jambon	Riche en protéines, sel mais pauvre en matières grasses	À consommer dans sa version traditionnelle	120 g (2 tranches)/145 calories	2 à 3 fois par semaine en alternance avec du bœuf
Lardons	Riche en sel et matières grasses	À éviter	50 g/165 calories	Très occasionnellement
Rillettes	Riche en matières grasses saturées	À éviter	30 g de rillettes de porc/123 calories	Très occasionnellement
Saucisse chipolata	Riche en matières grasses saturées	À éviter	100 g (2 saucisses)/328 calories	Très occasionnellement
Saucisse de Strasbourg	Riche en graisses saturées, en nitrite et polyphosphates	À éviter	100 g (2 saucisses) 287 calories	Très occasionnellement

Poissons

• Le poisson est un aliment bénéfique possédant des qualités nutritionnelles intéressantes. La provenance du poisson doit néanmoins toujours être surveillée afin d'éviter de consommer trop régulièrement des poissons contaminés par les métaux lourds, les substances chimiques ou les micro-organismes.

• Dans ce contexte, l'Anses a revu ses recommandations en 2013. Elle propose les fréquences suivantes pour la population générale : 2 portions de poisson par semaine, dont une forte teneur en EPA et DHA (saumon, sardine, maquereau, hareng, truite fumée), en variant les espèces et les lieux d'approvisionnement.

L'Anses préconise également de limiter à 2 fois par mois la consommation de poisson d'eau douce (anguille, bardeau, brème, carpe et silure).

• Enfin l'Anses recommande une vigilance accrue pour les femmes enceintes et les personnes sensibles comme les petits enfants (cf. recommandations détaillées sur www.anses.fr).

Anchois	Source d'oméga-3 Apport intéressant en protéines Riches en fer	À limiter	100 g d'anchois marinés/136 calories	1 à 2 fois par mois
Anguille	Apport intéressant en protéines Poisson « gras » Riche en vitamine A et B12	À limiter	100 g au four/230 calories	Voir recommandations de l'Anses p. 220
Bar	Apport intéressant en protéines	À privilégier À limiter pour les femmes enceintes et allaitantes et les jeunes enfants	100 g au four/154 calories	Voir recommandations de l'Anses p. 220
Cabillaud	Apport intéressant en protéines Pauvres en lipides Riche en iode	À privilégier	100 g au four/94 calories	1 fois par semaine en alternance avec les autres espèces de poissons non gras
Dorade	Apport intéressant en protéines Apport intéressant en sélénium Riche en vitamine B12	À privilégier mais à limiter pour les femmes enceintes et allaitantes et jeunes enfants	100 g/124 calories	Voir recommandations de l'Anses p. 220

Les aliments par catégorie	Intérêt nutritionnel	Avis santé	Portion et calories	Fréquence recommandée
Espadon	Présence de métaux lourds, PCB, etc.	À éviter	100 g/191 calories	Voir recommandations de l'Anses p. 220
Flétan	Présence potentielle de métaux lourds, PCB, etc.	À modérer mais à limiter pour les femmes enceintes et allaitantes et jeunes enfants	100 g/93 calories	Voir recommandations de l'Anses p. 220
Lieu noir	Poisson « maigre » Apport intéressant en protéines Riche en vitamine en B12 Riche en iode	À privilégier	100 g/102 calories	1 fois par semaine en alternance avec les autres espèces de poissons non gras
Maquereau	Riche en protéines Apport intéressant en vitamines B12 et D et iode	À privilégier	100 g/238 calories	1 fois par semaine en alternance avec les autres espèces de poissons gras
Marlin	–	À éviter	100 g/109 calories	Voir recommandations de l'Anses p. 220
Poisson fumé	Riche en sel et en hydrocarbures aromatiques	À éviter	100 g de saumon fumé/169 calories	1 fois par mois
Poisson pané	Peut être riche en matières grasses et en huile de palme	Vérifier sur l'emballage À modérer	Vérifier sur l'emballage (À partir de 90 calories le bâtonnet de poisson pané)	1 fois par mois
Roussette	–	À éviter	100 g/105 calories	Très occasionnellement
Sardine	Très riche en protéines (30 g) et vitamine B12	À privilégier	100 g/214 calories	1 fois par semaine en alternance avec les autres espèces de poissons gras

Sardine à l'huile	Riche en oméga-3 et vitamine B12 et vitamine D	À modérer compte tenu de sa richesse en matières grasses	100 g/222 calories	Occasionnellement
Saumon	Présence potentielle de métaux lourds, PCB, etc.	À éviter	100 g vapeur/214 calories	1 fois par mois
Sirki	Présence potentielle de métaux lourds	À éviter	–	1 fois par mois
Sole	Pauvre en lipides	À privilégier	100 g au four/73 calories	Sans limite
Sushi	–	Dépend de la nature des poissons	Aux crevettes 100 g/106 calories	Attention au saumon et thon rouge
Tarama de saumon	Fort apport énergétique Riche en matières grasses source d'oméga-3	À éviter	30 g/163 calories	À consommer très occasionnellement
Thon	Présence potentielle de métaux lourds, PCB, etc.	À éviter surtout le thon rouge	100 g au four/136 calories	1 fois par mois

Coquillages et crustacés

• Compte tenu de la variabilité des apports et des contaminations potentielles, la consommation de coquillages et crustacés doit rester occasionnelle et nécessite toujours de bien vérifier leur provenance et les indications de salubrité.

Araignées	Présence potentielle de métaux lourds, PCB, etc.	À éviter	100 g/128 calories	Très occasionnellement
Bulots	Présence potentielle de métaux lourds, PCB, etc.	À éviter	100 g/98 calories	Très occasionnellement
Crabe	Présence potentielle de métaux lourds, PCB, etc.	À éviter	100 g/128 calories	Très occasionnellement
Crevettes et coques	Peu contaminées, pauvres en matières grasses	À privilégier	100 g/97 calories	Souvent
Huîtres	Riches en sélénium	À privilégier	100 g/80 calories	Souvent

Les aliments par catégorie	Intérêt nutritionnel	Avis santé	Portion et calories	Fréquence recommandée
Moules	Présence potentielle de métaux lourds, PCB, etc.	À modérer	100 g/114 calories	Très occasionnellement
Oursins	Riches en iode	À privilégier	100 g/95 calories	Souvent

Boissons

• Seule l'eau est indispensable, variez les sources pour profiter des richesses différentes en minéraux et évitez de concentrer les produits toxiques de l'eau ou de leurs emballages en buvant toujours la même eau.
• Les autres boissons (boissons alcoolisées, soda, jus, sirops) sont sources de plaisir. Du fait de leur teneur en sucres et/ou en alcool, elles doivent être limitées à des consommations occasionnelles.

Les aliments par catégorie	Intérêt nutritionnel	Avis santé	Portion et calories	Fréquence recommandée
Café	Très anticancer	À privilégier	0 calorie	L'Anses recommande une vigilance particulière vis-à-vis de la consommation de caféine chez les femmes enceintes, enfants et adolescents et chez certaines personnes sensibles
Café soluble avec chicorée	Contient de l'acrylamide	À éviter	Peu calorique	Occasionnellement
Eau de coco	Pas d'intérêt nutritionnel particulier à part faible teneur en calories	À limiter	200 ml (un verre) 40 calories	Occasionnellement
Eau de source	Composition variable selon la source	–	0 calorie	En alternance avec de l'eau du robinet et de l'eau minérale
Eau du robinet	Présence de nitrates pesticides et arsenic selon les zones	Vérifier avant de consommer de manière régulière	0 calorie	En alternance avec de l'eau minérale

Aliment	Description	Recommandation	Calories	Notes
Eau gazeuse	Souvent riche en sel (vérifier l'étiquette) Certaines eaux sont intéressantes pour leur apport en magnésium Voir tableau p. 221	À modérer	0 calorie	Occasionnellement, sauf les eaux avec peu de sodium (Perrier, Salvetat et San Pellegrino)
Eau minérale	Composition stable contrôlée Voir tableau p. 221	-	0 calorie	En alternance avec l'eau du robinet (vérifier auprès de la commune sa composition) ou l'eau de source surtout chez les enfants
Jus de fruits	Riche en sucres et pauvres en fibres (surtout si sans pulpe) Contient des vitamines et minéraux	À consommer occasionnellement	80 à 140 calories le verre de 200 ml	Occasionnellement Éviter le matin à jeun lorsqu'on surveille son poids (ouvre l'appétit en augmentant rapidement la glycémie) Préférer les versions les moins riches en sucre (pamplemousse...) et avec pulpe (riche en fibres qui limitent la montée de la glycémie)
Jus d'abricot	Plus épais satiété plus importante	À privilégier	200 ml (un verre) 115 calories	Occasionnellement
Jus d'ananas	Contient une enzyme la bromeline qui permet la digestion plus rapide de viande et de poisson	À privilégier	200 ml (un verre) 97 calories	Occasionnellement
Jus de carotte	Riche en bêta-carotène	À modérer surtout chez les fumeurs	200 ml (un verre) 50 calories	Occasionnellement
Jus de grenade	Très riche en antioxydant (plus que le vin et le thé vert)	À privilégier en version bio ou fait maison	200 ml (un verre) 108 calories	À consommer régulièrement sans limite

Les aliments par catégorie	Intérêt nutritionnel	Avis santé	Portion et calories	Fréquence recommandée
Jus d'orange	Contient des fucoumarines suspectés d'être impliqués dans le développement du mélanome malin chez les personnes à risque	À éviter	200 ml (un verre) à partir de 90 calories	Très occasionnellement Éviter chez les personnes à risque de mélanome malin
Jus de pomme	Riche en sucre, en polyphénols et en pectine	À modérer	200 ml (un verre) 85 calories	Occasionnellement
Jus de raisin	Très riche en sucre Et riche en flavonoïdes	À éviter	200 ml (un verre) 137 calories	Occasionnellement
Lait de coco	Riche en matières grasses saturées	À limiter	200 ml (un verre) 384 calories	Très occasionnellement
Sirop de fruits	Riche en sucre	À limiter	30 g/76 calories	Occasionnellement
Smoothies	Riches en sucre et antioxydant	À modérer	200 ml (un verre)/75 calories	Occasionnellement
Sodas	Très riches en sucres et pauvres en vitamines et minéraux	À consommer très occasionnellement	80 à 140 calories le verre de 200 ml	Très occasionnellement
Sodas light	Avec des édulcorants	À privilégier lorsqu'on surveille son poids À consommer occasionnellement	0 calorie	Occasionnellement
Tisane : tilleul, verveine, camomille	Intérêt de varier les sources de tisane : effet tranquillisant, en particulier sur la digestion	À recommander (sans ajout de sucre)	0 calorie (sans ajout de sucre)	À consommer régulièrement en alternance
Thé noir	Riche en antioxydants	À consommer sans problème	0 calorie	Sans limite

		À recommander en boisson quotidienne sans ajout de sucre		Tous les jours au moins une tasse Sans limite
Thé vert	Contient de l'épigallocatéchine-3-gallate puissant anticancer	À recommander en boisson quotidienne sans ajout de sucre	–	Tous les jours au moins une tasse Sans limite
Vins et alcools				
Alcool fort	–	À éviter	12 ml (une dose)/ 50 calories	Très occasionnellement
Bière	–	À modérer	330 ml (une canette) 200 calories	Occasionnellement
Vin blanc	–	À modérer	100 ml (un petit verre)/75 calories	Occasionnellement
Vin rouge	Contient du resvératrol, un puissant antioxydant connu pour ses propriétés anticancer reconnues	À privilégier par rapport aux autres boissons alcoolisées À consommer avec modération	100 ml (un petit verre)/70 calories	Occasionnellement sans dépasser 2 à 3 verres par jour pour les hommes et 1 à 2 verres pour les femmes
Vin rosé	–	À modérer	100 ml (un petit verre)/70 calories	Occasionnellement

Laitages

• Ils doivent être apportés quotidiennement pour satisfaire nos besoins en calcium et compléter nos besoins en protéines, mais globalement, ils ne sont pas bons pour les hommes s'ils sont consommés en grande quantité.

• Attention, tous les produits laitiers ne sont pas équivalents. Comme pour les autres catégories d'aliments, il est indispensable de varier les formes (lait, fromage, yaourt, fromage blanc) et les sources (vache, chèvre, brebis).

Camembert	Riche en calcium et matières grasses	–	30 g	1 portion par jour en alternance avec d'autres produits laitiers et en fonction des autres apports de calcium

Les aliments par catégorie	Intérêt nutritionnel	Avis santé	Portion et calories	Fréquence recommandée
Comté	Riche en calcium et matières grasses	-	30 g	1 portion par jour en alternance avec d'autres produits laitiers et en fonction des autres apports de calcium
Crème chantilly	Matières grasses	À modérer	70 calories par portion	Occasionnellement
Crème fluide	Riche en calcium et matières grasses	À modérer	Une briquette de 20 cl/300 calories	Occasionnellement
Crème dessert chocolat	Riche en sucre Peu d'intérêt nutritionnel	À modérer	137 calories/ 100 g (un pot)	Très occasionnellement
Fromage blanc 0 %	Calcium sans matières grasses	À privilégier	Pot de 100 g/ 49 calories	2 à 3 portions par jour en alternance avec d'autres produits laitiers et en fonction des autres apports de calcium
Fromage frais type Saint-Moret	Riche en calcium et moins de matières grasses (il existe une version allégée)	À modérer	30 g/60 calories	2 à 3 portions par jour en alternance avec d'autres produits laitiers et en fonction des autres apports de calcium
Fromage au lait de brebis type Etorki	Riche en calcium et matières grasses	À modérer	30 g/120 calories	2 à 3 portions par jour en alternance avec d'autres produits laitiers et en fonction des autres apports de calcium
Fromage au lait de chèvre type bûchette	Riche en calcium et matières grasses	À modérer	30 g/90 calories	2 à 3 portions par jour en alternance avec d'autres produits laitiers et en fonction des autres apports de calcium

Lait demi-écrémé	Contient du calcium et peu de matières grasses	À privilégier	Un bol (250 ml) 125 calories	2 à 3 portions par jour en alternance avec d'autres produits laitiers et en fonction des autres apports de calcium
Yaourt nature 0 %	Riche en calcium et en pré- et probiotiques. Pas de matières grasses	À recommander	125 g	3 à 5 fois par semaine en alternance avec les autres yaourts
Yaourt nature au lait entier au bifidus	Riche en pré- et probiotiques et en particulier pour régénérer la flore bifide barrière essentielle aux microbes pathogènes	À privilégier	82 calories pot de 125 g	3 à 5 fois par semaine en alternance avec les autres yaourts
Yaourt aux fruits	Riche en calcium et sucres	À modérer	104 calories le pot de 125 g	Occasionnellement

Huiles et matières grasses

• Indispensables à l'équilibre alimentaire, les matières grasses doivent représenter 35 à 40 % de l'apport énergétique journalier.
• Veillez à varier au maximum les sources de matières grasses pour profiter de leurs différents bienfaits : vitamine E et acides gras poly-insaturés dans les huiles végétales, vitamine A et acides gras saturés dans les matières grasses animales (beurre, crème fraîche..). Vérifiez la liste des ingrédients des produits industriels pour éviter l'excès de consommation d'acides gras saturés (huiles de palme, de coprah et de coco).

Beurre	Riche en matières grasses saturées	À modérer	1 portion de 10 g/80 calories	3 fois par semaine en alternance avec d'autres matières grasses
Graisse d'oie ou de canard	Riche en acides gras saturés	À éviter	1 cuillère à soupe de 10 g 90 calories	Occasionnellement
Huile d'arachide	Contient des acides gras mono-insaturés	À modérer	1 cuillère à soupe de 10 g 90 calories	Très occasionnellement
Huile d'olive	Riche en acides gras mono-insaturés	À privilégier en cuisson et assaisonnement	1 cuillère à soupe de 10 g 90 calories	1 fois par jour à alterner avec les autres huiles

Les aliments par catégorie	Intérêt nutritionnel	Avis santé	Portion et calories	Fréquence recommandée
Huile de colza	Contient des acides gras polyinsaturés instables à la lumière et à la chaleur	À modérer en cuisson	1 cuillerée à soupe de 10 g/90 calories	1 fois par jour à alterner avec les autres huiles
Huile de foie de morue	Riche en oméga-3	À recommander	1 cuillerée à soupe de 10 g/90 calories	Très occasionnellement
Huile de palme		À éviter	1 cuillerée à soupe de 10 g/90 calories	Très occasionnellement
Huile de tournesol	Contient des acides gras polyinsaturés instables à la lumière et à la chaleur	À modérer	1 cuillerée à soupe de 10 g/90 calories	1 fois par jour à alterner avec les autres huiles
Margarine	Profil en acides gras plus équilibré que le beurre À vérifier avec la composition	À privilégier pour les versions allégées et équilibrées en oméga-3 et oméga-6	1 portion de 10 g/ de 40 à 80 calories	3 fois par semaine en alternance avec d'autres matières grasses

Légumes

- Veillez à consommer des légumes quotidiennement. En termes de portion, ils doivent représenter la moitié de l'assiette.
- Si l'absence de pesticides n'est pas certaine, enlevez la peau des légumes ou lavez-les à l'eau savonneuse puis rincez.
- Préférez les légumes de saison ramassés en local pour lesquels vous pouvez vérifier la provenance.

Les aliments par catégorie	Intérêt nutritionnel	Avis santé	Portion et calories	Fréquence recommandée
Artichaut	Contient de l'inuline, un prébiotique	À recommander	100 g/43 calories	Souvent
Aubergine	Riche en fibres insolubles	À recommander	100 g/35 calories	Souvent
Avocat	Riche en graisse (et donc calorique) mais de bon équilibre (acides gras mono-insaturés) et riche en vitamine du groupe B	À consommer régulièrement	100 g/169 calories	1 fois par mois toute l'année

Aliment	Description	Recommandation	Calories	Fréquence
Betterave	Source d'anthocyanes	À recommander	100 g/43 calories	1 fois par semaine au moins
Brocoli	Teneur importante en antioxydants anticancer	À recommander	Cuit, 100 g/43 calories	1 fois par semaine
Carotte	Riche en bêta-carotène	À recommander (sauf pour les fumeurs)	Crue, 100 g/43 calories	3 fois par semaine
Céleri-rave	Contient des poly-acéthylènes à effets inhibiteurs sur la croissance des cellules cancéreuses. Mais attention aux résidus	À consommer occasionnellement	Cuit, 100 g/35 calories	1 à 3 fois par saison
Champignons	Grandes variétés d'apports selon les espèces. Très peu caloriques et apport en vitamines et minéraux importants	À recommander	Cru, 100 g/30 calories	Souvent
Chicorée	Riche en inuline et prébiotique, mais présence acrylamide lorsqu'elle est industrielle	À modérer	Crue, 100 g/13 calories	À consommer occasionnellement
Chou chinois et kale	Bonne source de vitamine C, acide folique et potassium	À recommander	Cuit, 100 g/12 calories	1 fois par semaine en alternance avec d'autres légumes
Chou rouge	Apport intéressant en vitamines K, C, B6 et en fer	À recommander	Cru, 100 g/32 calories	1 fois par semaine en alternance avec d'autres légumes
Chou-fleur	Contient très peu de caroténoïdes. Contient des composés indols	À privilégier	Cuit, 100 g/25 calories	1 fois par semaine en alternance avec d'autres légumes
Chou de Bruxelles	Présence importante de composés indols	À privilégier	Cuit, 100 g/41 calories	3 fois par semaine en alternance avec d'autres légumes verts et salades
Courgette	Contient des caroténoïdes	À recommander	Cuite, 100 g/19 calories	3 fois par semaine en été en alternance avec d'autres légumes verts et salades

Les aliments par catégorie	Intérêt nutritionnel	Avis santé	Portion et calories	Fréquence recommandée
Cresson	Source de vitamine C, de vitamine A et de potassium Apport intéressant en caroténoïdes et flavonoïdes (antioxydants)	À privilégier	Cru, 100 g/21 calories	3 fois par semaine en hiver en alternance avec d'autres légumes verts et salades
Épinards	Source d'acide folique, de vitamine A, de potassium et de magnésium	À recommander	Cuits, 100 g/27 calories	3 fois par semaine en hiver en alternance avec d'autres légumes verts et salades
Fenouil	Source de fibres et de vitamine B9, peu d'apport calorique	À recommander	Cuit, 100 g/15 calories	Occasionnellement
Laitue	Source de lutéine	À recommander	Crue, 100 g/13 calories	3 fois par semaine en hiver en alternance avec d'autres légumes verts et salades
Livèche	Riche en flavonoïde et notamment quercétine	À recommander	100 g/15 calories	À consommer régulièrement
Navet	Contient des composés indols et des hétérosides soufrés	À recommander	Cuit, 100 g/21 calories	À consommer régulièrement
Olives noires	Très riches en graisses de bonne qualité (non insaturées) Contiennent des composés phénoliques	À modérer	50 g/100 calories	1 ou 2 fois par mois
Olives vertes	Moins riches en graisses que les olives noires De bonne qualité également et contient aussi des composés phénoliques	À modérer	50 g/50 calories	1 ou 2 fois par mois
Poivron	Contient des bioflavonoïdes	À recommander	Cuit, 100 g/29 calories	1 à 2 fois par mois

Potiron	Riche en carotène	À recommander sauf chez les fumeurs	Cuit, 100 g/13 calories	1 fois par semaine l'hiver
Roquette	Contient des flavonoïdes, en particulier la quercétine et des caroténoïdes antioxydant	À recommander +++	Cru, 100 g/14 calories	3 fois par semaine de la salade à varier selon la saison
Rutabaga	Apports très intéressants en lutéine, zéaxanthine (antioxydant) et vitamine C, excellente source de potassium	À recommander	Cuit, 100 g/30 calories	1 à 2 fois par semaine

Fruits

• Tous les fruits sont à privilégier au quotidien à chaque repas en s'assurant de leur traçabilité et des traitements chimiques minimums.
• Préférez les fruits de saison ramassés en local pour lesquels vous pouvez vérifier la provenance.
• Prenez soin de les laver avant de les consommer pour éliminer les résidus éventuels de traitement en surface.
• Tous les fruits sont une mine d'antioxydants, de puissants anticancers, variez-les au maximum pour bénéficier de la palette de ces substances très bénéfiques.

Ananas	Contient des bioflavonoïdes	À recommander	100 g/50 calories	En hiver, 1 fois par semaine en alternance avec d'autres fruits exotiques
Baies de goji	Contiennent du *Lycium barbarum*, un polysaccharide aux propriétés antioxydantes	À recommander	30 g/110 calories	En hiver, 1 fois par semaine en alternance avec d'autres baies
Banane	Riches en fibres prébiotiques	À recommander	150 g (une banane)/140 calories	À consommer régulièrement
Cassis	Contient des anthocyanes	À recommander	100 g/73 calories	En été, 1 fois par semaine en alternance avec d'autres baies
Cerises	Sources d'anthocyanes antioxydantes et de folates	À recommander	100 g/70 calories	En été, 3 fois par semaine en alternance avec d'autres fruits rouges

Les aliments par catégorie	Intérêt nutritionnel	Avis santé	Portion et calories	Fréquence recommandée
Cranberries	Source d'anthocyanes antioxydantes	À recommander	100 g/46 calories	Surtout en hiver, 1 fois par semaine en alternance avec d'autres baies
Fraises	Contiennent du calcium et du fer	À recommander	100 g/28 calories	Au printemps et en été, 3 fois par semaine en alternance avec d'autres fruits rouges
Framboises	Riches en anthocyanes et forte densité minérale	À recommander	100 g/45 calories	En été, 3 fois par semaine en alternance avec d'autres fruits rouges
Goyave	Source de lycopène	À recommander	100 g/88 calories	Surtout en hiver, 1 fois par semaine en alternance avec d'autres fruits exotiques
Grenade	Contient des ellagitanins, puissants antioxydants	À recommander +++	100 g/71 calories	Plusieurs fois par semaine sous ses différentes formes jus et graine (à incorporer dans des recettes et sous forme de jus dans une vinaigrette)
Kiwi	Excellente source de vitamine C et de potassium	À recommander	100 g/57 calories	Surtout en hiver, 1 fois par semaine en alternance avec d'autres fruits exotiques
Mangue	Excellente source de vitamine A et de vitamine C Contient du potassium et du cuivre	À recommander	150 g (1 mangue)/ 95 calories	Surtout en hiver, 1 fois par semaine en alternance avec d'autres fruits exotiques
Melon	Source de potassium, vitamine C et acide folique	À recommander	100 g/48 calories	En saison, tous les jours en alternance avec d'autres crudités
Mûres	Source de vitamine C et de potassium, contient du magnésium et du cuivre	À recommander	100 g/50 calories	Surtout en hiver, 1 fois par semaine en alternance avec d'autres baies

Nectarine	Bonne source de potassium Contient de la vitamine C et A	À recommander	100 g/43 calories	En saison, tous les jours en alternance avec d'autres fruits jaunes
Orange	Apports très intéressants en vitamine C ; bonne source de potassium	À recommander	100 g/70 calories	Surtout en hiver, 1 fois par semaine en alternance avec d'autres agrumes
Pamplemousse	Riche en vitamine C et bonne source de potassium	À recommander Attention à l'inter- action avec certains médicaments	100 g/53 calories	Surtout en hiver, 1 fois par semaine en alternance avec d'autres agrumes
Pastèque	Contient de la vitamine C et du potassium	À recommander	100 g/51 calories	En saison, tous les jours en alternance avec d'autres fruits
Pêche	Bonne source de potassium, contient de la vitamine C, de la vitamine A et de la niacine	À recommander	100 g/53 calories	En saison, tous les jours en alternance avec d'autres fruits jaunes
Poire	Source élevée de fibres, contient du potassium et du cuivre	À recommander	100 g/53 calories	En saison, tous les jours en alternance avec d'autres fruits
Pomme	Bonne source de potassium et de vitamine C	À recommander	100 g/53 calories	En saison, tous les jours en alternance avec d'autres fruits jaunes
Prune	Bonne source de potassium et contient de la vitamine C et de la riboflavine	À recommander	100 g/48 calories	En saison, tous les jours en alternance avec d'autres fruits jaunes
Raisin	Bonne source de potassium, contient de la vitamine C, de la thiamine et de la vitamine B6	À recommander	100 g/62 calories	En saison tous les jours en alter- nance avec d'autres fruits jaunes

Les aliments par catégorie	Intérêt nutritionnel	Avis santé	Portion et calories	Fréquence recommandée
Fruits secs				
• Ils sont nettement plus caloriques que les fruits d'origine par nature puisque pauvres en eau !				
Abricot, pruneaux, raisins	Très riches en sucres	À modérer	Entre 250 et 300 calories (pour 8 abricots secs)	En petite quantité l'hiver ou pour les sportifs
Fruits oléagineux				
• Ils sont très caloriques de par leur composition riche en matières grasses (voir les huiles).				
• Ils sont donc à consommer en hiver en petites quantités pour leur richesse en minéraux et en particuliers pour les sportifs.				
Amandes	Excellente source de magnésium et de potassium, bonne source de phosphore, de riboflavine ; de cuivre, de niacine et de zinc	À modérer	Très caloriques, 1 poignée de 20 g/140 calories	En petite quantité l'hiver ou pour les sportifs
Noisettes	Excellente source de magnésium et de potassium, bonne source de phosphore, de riboflavine ; de cuivre, de niacine et de zinc	À modérer	Très caloriques	En petite quantité l'hiver ou pour les sportifs
Noix	Excellente source de cuivre, de magnésium, bonne source de potassium et de vitamine B6, d'acide folique et de thiamine	À modérer	Très caloriques	En petite quantité l'hiver ou pour les sportifs
Noix de cajou	Excellente source de cuivre, de magnésium et de zinc	À modérer	Très caloriques	En petite quantité l'hiver ou pour les sportifs

Herbes, épices aromates et condiments

• Ajoutés pour leur note aromatique, ils sont présents en quantité sans conséquence pour la charge calorique de votre plat. Du fait de leur richesse en antioxydants, ils sont à recommander dans la cuisine quotidienne.

Aliment	Propriété	Recommandation	Calorie	Fréquence
Ail	Présence de composés sulfurés	À recommander +++	Très peu calorique aux proportions utilisées	Plusieurs fois par semaine
Aneth	Stimulant digestif	À recommander	Très peu calorique aux proportions utilisées	Souvent
Basilic	Contient des polyphénols aromatiques	À recommander	Très peu calorique aux proportions utilisées	Souvent
Badiane	Stimulant digestif Action antiseptique	Vérifier l'origine	Très peu calorique aux proportions utilisées	Souvent
Cannelle	Antioxydante contient des fibres	À recommander	Très peu calorique aux proportions utilisées	Souvent
Câpres	Riche en quercétine	À recommander	–	Très souvent
Coriandre	Action détoxifiantes des métaux lourds Contient des polyphénols aromatiques	À recommander	Très peu calorique aux proportions utilisées	Très souvent
Curcuma	Contient de la curcumine Effet anticancer : il agit comme un phyto A En le prenant avec du poivre, on augmente l'effet positif de la vitamine D	À recommander +++	0 calorie	Plusieurs fois par semaine
Fenouil	Sources de fibres et de B9	À recommander	Très peu calorique aux proportions utilisées	Souvent

Les aliments par catégorie	Intérêt nutritionnel	Avis santé	Portion et calories	Fréquence recommandée
Herbes aromatiques	Riches en antioxydant	À recommander	Très peu calorique aux proportions utilisées	Très souvent
Menthe	Antiseptique antidouleur, stimulant digestif	À recommander	Très peu calorique aux proportions utilisées	Très souvent
Oignon blanc	Contient du sélénium	À recommander	Très peu calorique aux proportions utilisées	Plusieurs fois par semaine
Oignon rouge	Source d'anthocyanes	À recommander	Très peu calorique aux proportions utilisées	Plusieurs fois par semaine
Oignon rose	Source de composé phénolique	À recommander	Très peu calorique aux proportions utilisées	Plusieurs fois par semaine
Moutarde	Source de vitamine C, de vitamine A, de fer et de potassium.	À recommander	Très peu calorique aux proportions utilisées	Plusieurs fois par semaine
Persil	Riche en vitamine C et calcium	À recommander +++	Très peu de calories	Plusieurs fois par semaine
Piment	Source de quercétine	À recommander	0 calories	Plusieurs fois par mois
Poivre	Contient de la piperine qui augmente l'efficacité de la curcumine	À recommander +++	0 calorie	Plusieurs fois par semaine

Aliment	Propriétés		Recommandation	Fréquence
Réglisse	Attention pour personnes faisant de l'hypertension	-		Occasionnellement

Préparations

• Méfiez-vous des préparations industrielles : elles sont généralement riches en matières grasses, en sel, en sucres et sont constituées de divers additifs.

• Préparez-les vous-même, vous pourrez ainsi choisir la qualité et la quantité des ingrédients que vous utilisez et gagner en qualité nutritionnelle.

Aliment	Propriétés		Recommandation	Fréquence
Bouillon de légumes	Source de vitamines, minéraux et antioxydants		À recommander	Plusieurs fois par semaine
Guacamole (avocat)	Riches en graisse et en calories		À éviter	1 fois par mois
Houmous (purée de pois chiche)	Riche en glucides complexes, riche en gras et calories		À éviter	Occasionnellement
Ketchup (tomates)	Riche en lycopène		À recommander	Occasionnellement
Mayonnaise (œuf et huile)	Riche en gras et cholestérol		À éviter	Très occasionnellement
Tapenade (ail + olives noires)	Très gras mais acides gras mono-insaturés			Occasionnellement
Tofu	Contient des phyto-œstrogènes		À recommander	Plusieurs fois par mois

Plats préparés industriels

• Lire attentivement le tableau de valeurs nutritionnelles en vérifiant, notamment pour les plats cuisinés, le rapport protéines sur lipides. Celui-ci doit être supérieur à 1 pour avoir un plat relativement équilibré, et le dosage en sel ne doit pas excéder 0,8 g pour 100 g.

• Vérifier également que le plat ne contient rien de plus que les ingrédients de la recette d'origine, sauf peut-être un additif pour aider à la conservation et à la tenue du plat. Veiller à l'utilisation de matières grasses de bonne qualité (huile de colza, huile d'olive..) et fuir la présence de matières grasses hydrogénées ou partiellement hydrogénées.

Recommandations de l'Anses sur la consommation de poisson pour les populations sensibles

	Fillettes et adolescentes	Femmes en âge de procréer	Femmes allaitantes	Femmes enceintes et enfants de moins de 3 ans	Autres personnes sensibles (personnes âgées, immuno-déprimées etc.)
Poissons d'eau douce fortement bioaccumulateurs (anguille, barbeau, brème, carpe, silure)	Limiter à 1 fois tous les 2 mois	Limiter à 1 fois tous les 2 mois	Limiter à 1 fois tous les 2 mois	Limiter à 1 fois tous les 2 mois	Limiter à 2 fois par mois
Poissons prédateurs sauvages (lotte [baudroie], loup [bar], bonite, anguille, empereur, grenadier, flétan, brochet, dorade, raie, sabre, thon...)	Pas de recommandation particulière	Pas de recommandation particulière	À limiter	À limiter	Pas de recommandation particulière
espadon, marlin, siki, requin et lamproie	Pas de recommandation particulière	Pas de recommandation particulière	À éviter	À éviter	Pas de recommandation particulière
Mesures spécifiques d'hygiène à respecter	Cf. recommandation générale	Cf. recommandation générale	Cf. recommandation générale	**Éviter** la consommation de poissons crus ou insuffisamment cuits et de poissons fumés **Éviter** la consommation de **coquillages crus ou peu cuits**. **Éviter** la consommation de **crustacés décortiqués vendus cuits** (cuire soi-même les crustacés)	

Source: https://www.anses.fr/fr/content/poissons-et-produits-de-la-pêche-synthèse-des-recommandations-de-l'agence.

Composition des eaux en sodium et magnésium

	Sodium (mg/l)	Magnésium (mg/l)
EAUX PLATES		
Cristaline	19	25
Hépar	14,2	119
Volvic	11,6	8
Contrex	9,4	74,5
Évian	6,5	26
Thonon	5,7	19
Vittel	5,2	42
Mont Roucous	3,1	0,5
Wattwiller	3	11
EAUX GAZEUSES		
Saint-Yorre	1 708	11
Vichy Célestins	1 172	10
Rozana	493	160
Badoit	180	80
San Pellegrino	33,3	51,4
Perrier	9,5	4,2
La Salvetat	7	11

Source : emballages et/ou sites Internet des marques.

Recommandations
par type de cancer

Pour les femmes

Femme	Aliment/nutriments/médicaments/ compléments alimentaires	
Type de cancer	À privilégier	À éviter
Tous	Grenade Ail Sélénium Curcuma Quercétine Thé vert Brocoli	Vitamine A, notamment chez les fumeuses ou ex-fumeuses Oméga-3 Vitamine E
Cancer du sein	Soja Vitamine D (femme ménopausée et non sous THS)	Sources d'oméga-3 (voir tableau p. 75), saumon notamment Matières grasses saturées (matières grasses animales et certaines huiles végétales de palme et d'arachide) Certains médicaments antihypertenseurs
Cancer du côlon	Vitamine D + calcium	

Femme	Aliment/nutriments/médicaments/ compléments alimentaires	
Type de cancer	À privilégier	À éviter
Cancer du poumon	Vitamine B6 Méthionine	Complément alimentaire à base de vitamine A/ bêta-carotène Vitamine A
Cancer du foie	Café	
Cancers ORL	Café	
Cancer de la vessie	Sélénium	

Pour les hommes

Homme	Aliment/nutriments/médicaments/ compléments alimentaires	
Type de cancer	À privilégier	À éviter
Tous	Grenade Ail Sélénium Curcuma Quercétine Thé vert Brocoli	Les compléments alimentaires à base d'oméga-3 Vitamine A, notamment chez les fumeurs ou ex-fumeurs Vitamine E
Cancer de la prostate	Grenade Café	Vitamine D
Cancer du poumon	Vitamine B6 Méthionine	Complément alimentaire à base de vitamine A/ bêta-carotène Vitamine E
Mélanome		Viagra® (sous réserve)
Cancer du foie	Café	
Cancers ORL	Café	
Cancer digestif	Sélénium	

20 comportements anticancer

Pour les femmes

1. Stop au tabac (mais aussi à la chicha...).
Et pour les fumeurs, reportez-vous au chapitre sur la cigarette électronique (p. 131) en attendant de nouveaux produits moins dangereux...

2. 30 minutes d'exercice par jour.
Remplacez l'ascenseur par les escaliers dès que vous le pouvez. Marchez autant que possible, munissez-vous d'un bracelet de marche pour mesurer vos pas et vous donner des objectifs.
Marchez plutôt que de prendre la voiture pour des petits trajets. Garez-vous un peu plus loin de votre lieu de stationnement habituel. Bougez en faisant le ménage. Ressortez vos vélos ou prenez une carte d'abonnement aux Velib, Velov, Bicloo, VelO et autres. Allez promener votre chien un peu plus longtemps si vous en avez un. Et pourquoi pas, nagez...

3. Surveillez votre poids et consommez des aliments variés en observant la fréquence maximum recommandée.

Pour cela reportez-vous au tableau des aliments p. 189 et relisez mon livre *Le Vrai Régime anticancer* qui détaille tous les aliments, et notamment le point sur la viande, les poissons, les matières grasses... Forcez sur les légumes verts et blancs et les fibres, très importantes.

4. Favorisez les aliments et nutriments anticancer du top 7 ou prenez-les en compléments alimentaires : grenade, ail, sélénium, curcuma, quercétine, thé vert, brocoli.

5. Mettez-vous au thé vert, au moins une tasse par jour...
Mais n'abandonnez pas pour autant le café, trois tasses par jour minimum.

6. Attention à l'arsenic dans l'eau de boisson, les nitrites et les nitrates présents dans l'eau et dans certaines charcuteries industrielles.
Ils sont à éviter systématiquement, car ils sont hautement cancérigènes. Informez-vous auprès la Ddass de votre secteur sur la qualité de l'eau du robinet.
Lisez bien les étiquettes des charcuteries industrielles et évitez ces trois agents, tous hautement cancérigènes.

7. Faites doser votre vitamine D pour prévenir toute carence.
Les femmes préménopausées doivent consommer une grande quantité de laitages et se supplémenter en calcium.

8. Ne vous privez pas de vin... mais limitez-le à deux verres.
Évitez les alcools forts. Ne dépassez jamais 20 g d'éthanol pur en moyenne par jour, vin compris, c'est-à-dire 2 verres de vin maximum.

9. Évitez les grillades et la cuisine au wok.
Le marquage de n'importe quel aliment par le contact avec la flamme (> 500 °C) crée des substances particulièrement nocives. De même dans la cuisine au wok où, par la forme de l'ustensile

lui-même, on atteint des températures de cuisson beaucoup trop élevées qui vont générer des produits cancérigènes.

10. Faites l'amour autant que possible !
Mais attention aux problèmes de préservatifs.

11. Choisissez des fruits et légumes non traités aux pesticides.

12. Optez pour des cosmétiques bio sans parabènes.

13. Limitez l'usage des nettoyants ménagers, désodorisants et parfums d'intérieur et des solvants industriels.
Préférez des nettoyants de qualité biologique.

14. N'abusez pas du téléphone portable.
Et utilisez les kits mains libres et oreillettes autant que possible.

15. Attention au soleil !
Exposez-vous au minimum, choisissez des produits solaires ne contenant pas d'oxybenzone et de rétinyl palmitate. Et ne remplacez pas votre exposition au soleil par des séances en cabine de bronzage en pensant que cela est moins dangereux.

16. Utilisez avec précaution les traitements substitutifs de la ménopause.

17. Évitez le stress et positivez.
Et si vous essayiez ma méthode de relaxation (p. 177) ?

18. N'oubliez pas de surveiller et de faire contrôler régulièrement vos grains de beauté.

19. Participez aux programmes de dépistage de prévention du cancer du col de l'utérus en faisant des frottis réguliers et des cancers du sein et colorectal à partir de 50 ans.

20. En cas de règles irrégulières, consultez votre gynécologue.
Il vous prescrira sans doute une pilule contraceptive.

Pour les hommes

1. Stop au tabac (mais aussi à la chicha...).
Et pour les fumeurs, reportez-vous au chapitre sur la cigarette électronique (p. 131) en attendant de nouveaux produits moins dangereux...

2. 30 minutes d'exercice par jour.
Remplacez l'ascenseur par les escaliers dès que vous le pouvez. Marchez autant que possible, munissez-vous d'un bracelet de marche pour mesurer vos pas et vous donner des objectifs.

Marchez plutôt que de prendre la voiture pour des petits trajets. Garez-vous un peu plus loin de votre lieu de stationnement habituel. Bougez en faisant le ménage. Ressortez vos vélos ou prenez une carte d'abonnement aux Velib, Velov, Bicloo, VelO et autres (tout en n'abusant pas de façon intensive du vélo)... Allez promener votre chien un peu plus longtemps si vous en avez un. Et pourquoi pas, nagez...

3. Surveillez votre poids et consommez des aliments variés en observant la fréquence maximum recommandée.
Pour cela reportez-vous au tableau des aliments p. 189 et relisez mon livre *Le Vrai Régime anticancer* qui détaille tous les aliments, et notamment le point sur la viande, les poissons, les matières grasses...

Forcez sur les tomates (surtout sous formes préparées comme les sauces tomate et les jus de tomate qui contiennent du lycopène) et n'oubliez pas les fibres, très importantes.

4. Favorisez les aliments et nutriments anticancer du top 7 : grenade, ail, sélénium, curcuma, quercétine, thé vert, brocoli.
Pour le jus de grenade, n'hésitez pas à le prendre dans sa forme déjà préparée mais de préférence bio, et sans sucre ajouté, car il est plus riche en antioxydants de très grande qualité.

5. Mettez-vous au thé vert, au moins une tasse par jour...

Mais n'abandonnez pas pour autant le café, sauf si vous êtes fumeur ou si vous avez des personnes dans votre famille qui ont développé un cancer du poumon. Dans ce cas, n'en abusez pas.

6. N'abusez pas des laitages.

Qu'il s'agisse du lait ou de produits fermentés (fromages, yaourts), surtout après 50 ans.

7. Attention à l'arsenic dans l'eau de boisson, les nitrites et les nitrates présents dans l'eau et dans certaines charcuteries industrielles.

Ils sont à éviter systématiquement, car ils sont hautement cancérigènes. Informez-vous auprès la Ddass de votre secteur sur la qualité de l'eau du robinet.

Lisez bien les étiquettes des charcuteries industrielles et évitez ces trois agents, tous hautement cancérigènes.

8. Ne vous privez pas de vin... mais limitez-le à deux à trois verres par jour.

9. Pas d'excès d'alcools forts.

Prendre une fois de temps en temps un verre d'alcool n'est probablement pas grave, mais plusieurs verres bus régulièrement peuvent entraîner une augmentation de risque de certains cancers.

10. Évitez les grillades et la cuisine au wok.

Le marquage de n'importe quel aliment par le contact avec la flamme (> 500 °C) crée des substances particulièrement nocives. De même dans la cuisine au wok où, par la forme de l'ustensile lui-même, on atteint des températures de cuisson beaucoup trop élevées qui vont générer des produits cancérigènes.

11. Pas de supplémentation en vitamine A, en vitamine D ni en vitamine E.

Sauf si un net déficit a été dosé par analyses sanguines.

12. Faites l'amour autant que possible !

Évitez le Viagra® si vous êtes roux, si vous avez la peau très claire, les yeux clairs ou si vous avez des antécédents de mélanome dans la famille.

13. Choisissez des fruits et légumes non traités aux pesticides.

14. Optez pour les cosmétiques bio sans parabènes.

15. Limitez l'usage des nettoyants ménagers, désodorisants et parfums d'intérieur et des solvants industriels.

Préférez des nettoyants de qualité biologique.

16. N'abusez pas du téléphone portable.

Et utilisez les kits mains libres et oreillettes autant que possible.

17. Attention au soleil !

Exposez-vous au minimum, choisissez des produits solaires ne contenant pas d'oxybenzone et de rétinyl palmitate. Et ne remplacez pas votre exposition au soleil par des séances en cabine de bronzage en pensant que cela est moins dangereux.

18. Évitez le stress et positivez.

Et si vous essayiez ma méthode de relaxation (p. 177) ?

19. N'oubliez pas de surveiller et de faire contrôler régulièrement vos grains de beauté.

20. Participez aux programmes de dépistage du cancer colorectal à partir de 50 ans.

Les fiches cancer :
les chiffres, les causes,
les raisons d'espérer

Cancer de la prostate

1) Les chiffres[1]

- Incidence : 53 465 nouveaux cas estimés par an en 2013 en France, c'est le premier cancer en termes de fréquence.
- Part du cancer de la prostate dans l'ensemble des cancers chez l'homme en France : 27 %.
- 1 homme sur 7 sera diagnostiqué avec un cancer de la prostate tout le long d'une vie.
- Dans 6 cas sur 10, le cancer de la prostate est diagnostiqué chez des hommes de plus de 65 ans, il reste rare avant l'âge de 40 ans. La moyenne d'âge des cancers de la prostate est de 66 ans.
- Incidence de 99 cas pour 100 000 personnes en 2009. Une augmentation de l'incidence a été notée entre 1980 (de 25 pour 100 000 personnes) et en 2005 (à 127 pour 100 000 personnes) avant que l'incidence n'amorce une baisse.

2) Les causes

- L'âge : le risque augmente après 50 ans.
- L'origine ethnique : le risque est plus important pour la population afro-américaine.
- L'hérédité : le risque multiplié par 2 en cas de cancer de la prostate chez un ascendant au premier degré (par exemple, le père).
3) La gravité
- La mortalité est de 8 876 cas par an en France, cela représente 7,5 % de l'ensemble des morts par cancer.
- Le taux de mortalité est de 11 pour 100 000 en 2012. Il est important de mentionner que ce taux de mortalité a baissé de 37 % par rapport à 1990, année où le taux était de 18 pour 100 000 personnes.

4) Les raisons d'espérer

- Elles existent, car une nouvelle génération d'inhibiteurs des récepteurs de l'androgène a été découverte, qui permet de traiter par des armes supplémentaires les formes de cancer de la prostate résistantes à la chirurgie.
- Parallèlement, grâce à une cartographie génétique de plus en plus fine des cancers résistant à la chirurgie, on peut mieux traiter ces formes de cancer par des cibles thérapeutiques.

---

1. Sources : *Estimation nationale de l'incidence et de la mortalité par cancer en France entre 1980 et 2012. Partie 1 – Tumeurs solides. Traitement,* INCA, 2013.

Cancer du sein

1) Les chiffres

- Incidence : 48 763 nouveaux cas estimés par an en 2012 en France, c'est le deuxième cancer le plus fréquent.
- Part du cancer du sein dans l'ensemble des cancers chez la femme en France : 31,5 %.
- Une femme sur 9 environ va développer un cancer du sein dans sa vie.
- L'incidence de ce cancer a presque doublé entre les années 1980 et 2005, passant de 56 cas pour 100 000 femmes en 1980 à 98 cas pour 100 000 femmes en 2005. Depuis 2005, on observe une légère tendance à la baisse avec une estimation de 88 cas pour 100 000 femmes en 2012.

2) Les causes

- Le sexe (99 % des cancers du sein surviennent chez la femme).
- L'âge : plus on vieillit plus le risque est grand.
- Les antécédents personnels et familiaux de cancer du sein.
- Les facteurs de risque génétique (mutations des gènes BRCA1 et BRCA2).
- Les facteurs de risque dit externes comme l'exposition de l'organisme aux hormones (traitement hormono-substitutif), la puberté précoce, l'absence de grossesse, l'absence d'allaitement, la ménopause tardive...
- Le surpoids.
- L'origine ethnique.
- Certaines lésions bénignes du sein, comme certaines mastoplasthies.

3) La gravité

- Mortalité : 11 886 cas par an en France, ce qui représente 8 % de l'ensemble des morts par cancer.
- Le taux de mortalité est de 16 pour 100 000 femmes en 2012. Ce taux est en baisse après avoir atteint un pic de 20 décès annuels pour 100 000 femmes en 1990. Cela pourrait être lié à un diagnostic plus précoce des tumeurs en rapport avec d'une part le dépistage instauré en France et l'amélioration de la prise en charge thérapeutique d'autre part.
- La survie après un cancer du sein est de 86 % à 5 ans et de 76 % à 10 ans.

4) Les raisons d'espérer

On sait aujourd'hui qu'il n'y a pas un cancer du sein mais des cancers du sein, tous très différents les uns des autres et qui nécessitent, chacun, des approches thérapeutiques très spécifiques. Cela a été mis au jour par les séquençages des génomes tumoraux de milliers de cancers du sein. Ainsi, en fonction du « profil génomique », chaque groupe de cancer du sein recevra un traitement adapté.

Cancer colorectal

1) Les chiffres

– Incidence : 42 152 nouveaux cas estimés par an en 2012 en France ; en termes de fréquence, c'est le troisième cancer.

– Part de l'ensemble des cancers en France : 12 %.

– L'incidence a un peu augmenté entre les années 1980 et 2012, passant de 35 cas pour 100 000 hommes en 1980 à 38 cas 100 000 hommes en 2005. Chez les femmes, l'incidence est stable aux alentours de 23 pour 100 000 femmes. À noter que la courbe des chiffres récents montre un plateau, voire un ralentissement de l'évolution des taux d'incidence depuis 2000.

2) Les causes

– L'âge : les hommes et femmes de plus de 50 ans.

– Si la personne a déjà eu des polypes du côlon ou un cancer colorectal.

– Si la personne souffre de maladies inflammatoires chroniques intestinales (exemple, maladie de Crohn).

– Des antécédents familiaux de polypes adénomateux et de cancer colorectal.

– Des syndromes de prédisposition génétique (polypose adénomateuse familiale ; syndrome de Lynch, polypose juvénile et syndrome de Peutz-Jeughers).

– L'origine ethnique.

– Le diabète de type II.

– Une alimentation riche en charcuterie et pauvre en fibres, obésité, inactivité physique.

3) La gravité

– Mortalité : 17 722 cas par an en France, ce qui représente 12 % de l'ensemble des morts par cancer.

– Le taux de mortalité en 2012 est de 13 pour 100 000 hommes et de 8 pour 100 000 femmes. À noter que ce taux est en baisse après avoir atteint un pic de 20 décès annuels chez l'homme et de 12 chez la femme en 1980, soit des baisses de plus de 33 %.

4) Les raisons d'espérer

Elles sont triples. D'abord grâce au programme de dépistage mis en place au niveau national, on dépiste la maladie à un stade bien plus précoce, ce qui donne plus de chances de réussir le traitement. Ensuite, la prise en charge thérapeutique oncologique (chimiothérapie postopératoire) s'est améliorée et la mortalité opératoire a diminué. Enfin, l'amélioration de la classification moléculaire de ces tumeurs donnera, dans les années à venir, des possibilités de traitement adjuvant à la carte, comme cela se pratique déjà pour le cancer du sein.

Cancer du poumon

1) Les chiffres

- Incidence : 39 495 (28 211 hommes et 11 284 femmes) nouveaux cas estimés en 2012 en France, il représente le quatrième cancer le plus fréquent.
- Part de l'ensemble des cancers en France : 11 %.
- L'incidence du cancer du poumon est différente selon le sexe. En 2012, l'incidence était de 52 pour 100 000 hommes *versus* 19 pour 100 000 femmes. On note que l'incidence du cancer du poumon chez l'homme est stable (50 cas pour 100 000 hommes en 1980) alors que chez la femme cette incidence a largement progressé (3,5 cas 100 000 femmes en 1980).
- L'âge moyen du diagnostic chez l'homme est de 67 ans et de 66 ans chez la femme.
- Une diminution de l'incidence liée aux modifications des comportements de consommation de tabac selon les sexes, existe aux États-Unis.

2) Les causes

- Le tabagisme actif (risque augmenté de 15 à 30 fois).
- Le tabagisme passif.
- Des antécédents familiaux de cancer du poumon.
- Des substances toxiques : radon, asbestose, arsenic, amiante.
- Une radiation ionisante.
- L'obésité et le surpoids.

3) La gravité

- Mortalité : 29 949 (21 326 hommes et 8 623 femmes) cas par an en France (soit 20,2 % de l'ensemble des morts par cancer).
- Le taux de mortalité en 2012 est estimé de 37 pour 100 000 hommes et de 13 pour 100 000 femmes.
- La survie nette des patients diagnostiqués entre 1989 et 2004 est la suivante :
  • à 1 an : 43 % (43 % chez l'homme et 47 % chez la femme) ;
  • à 5 ans : 14 % (13 % chez l'homme et 18 % chez la femme) ;
  • à 10 ans : 9 % (9 % chez l'homme et 12 % chez la femme).

4) Les raisons d'espérer

Les progrès récents dans l'immunothérapie représentent une voie très intéressante pour traiter les tumeurs métastatiques résistantes aux chimiothérapies classiques. En particulier, la caractérisation moléculaire de ces tumeurs a permis d'identifier de nouvelles cibles thérapeutiques pour lesquelles des nouveaux traitements ciblés ont été approuvés. Elles sont en train de changer le pronostic de ce cancer redoutable.

Cancer de la vessie

1) Les chiffres

- Incidence : 11 965 nouveaux cas estimés en 2012 en France (2 416 chez la femme et 9 549 chez l'homme), c'est le cinquième cancer en termes de fréquence.
- Part de l'ensemble des cancers en France : 4 %.

2) Les causes

- Le tabagisme.
- Un antécédent personnel de cancer de la vessie.
- Des antécédents familiaux de cancer de la vessie.
- Des facteurs infectieux (bilharziose, infections urinaires chroniques).
- Une susceptibilité génétique.
- Une exposition professionnelle (part imputable estimée entre 5 à 25 % du total de cette pathologie dans la littérature internationale), notamment aux teintures capillaires.

3) La gravité

- Mortalité : 4 772 cas par an en France (1 198 chez la femme et 3 574 chez l'homme), soit 4 % de l'ensemble des morts par cancer.
- Le taux de survie à 5 ans des personnes atteintes est inférieur à 50 %.

4) Les raisons d'espérer

Les progrès récents dans l'immunothérapie représentent une voie très intéressante pour traiter les tumeurs métastatiques résistantes aux chimiothérapies classiques. Une meilleure connaissance de ces tumeurs a permis d'identifier de nouvelles cibles moléculaires avec des espoirs de traitements ciblés, comme pour les cancers du poumon.

Cancer du pancréas

1) Les chiffres

– Incidence : 11 662 nouveaux cas estimés en 2012 en France (5 699 chez la femme et 5 963 chez l'homme), c'est le sixième cancer dans l'ordre de fréquence.
– Part de l'ensemble des cancers en France : 3,9 %.
– C'est l'un des cancers dont l'incidence augmente le plus ces dernières années. Chez l'homme le taux d'incidence a quasiment doublé depuis les années 1980 passant de 4,9 cas pour 100 000 à 10,2 cas pour 100 000. De même, chez les femmes, le taux d'incidence est passé de 2 à 6,9 pour 100 000.

2) Les causes

– L'âge : plus ot vieillit, plus ce risque augmente.
– L'origine ethnique.
– Le tabagisme.
– L'obésité et activité physique.
– Le diabète.
– Une pancréatite chronique.
– Une cirrhose du foie.
– Des antécédents familiaux.
– Syndrome précancéreux appelé TPIMP.

3) La gravité

– La mortalité est sensiblement identique à l'incidence.
– Le taux de survie à 5 ans des personnes atteintes est inférieur à 5 % sauf en cas de chirurgie (10 à 20 %).

4) Les raisons d'espérer

Avec le développement des techniques de séquençage haut débit et de compréhension du microenvironnement tumoral, de nouvelles perspectives thérapeutiques basées sur l'immunothérapie et de nouvelles thérapies ciblées sont en train d'émerger. Un nouveau médicament de chimiothérapie très efficace vient d'être mis sur le marché.

Cancer du rein

1) Les chiffres

- Incidence : 11 573 nouveaux cas estimés, en 2012, en France (3 792 chez la femme et 7 781 chez l'homme) pour ce cancer qui se situe au septième rang de la fréquence.
- Part de l'ensemble des cancers en France : 4 %.
- C'est le troisième cancer urologique après le cancer de la prostate et celui de la vessie.

2) Les causes

- Le tabagisme actif et le tabagisme passif.
- L'obésité.
- Des facteurs génétiques et héréditaires (maladie de Von Hippel-Lindau, maladie scléreuse de Bourneville).
- D'autres facteurs de risque comme un cancer du rein familial.
- Une hypertension artérielle.
- Le sexe masculin y est plus sensible (le sex-ratio est de 2 hommes concernés pour 1 femme).
- L'origine ethnique.
- L'exposition professionnelle au tétrachlorophénol dans l'industrie du bois et du textile.

3) La gravité

- Mortalité : 3 957 cas par an en France (1 306 chez la femme et 2 651 chez l'homme), ce qui représente 3,3 % de l'ensemble des morts par cancer.

4) Les raisons d'espérer

Il y a en effet de sérieuses raisons d'espérer. Les traitements antiangiogéniques ont déjà révolutionné le traitement des patients : plus de 7 médicaments ont été approuvés dans ce cancer lors de cette dernière décennie.

Les résultats des nouvelles immunothérapies sont impressionnants, on en attend d'ores et déjà la confirmation.

Par ailleurs, de nouveaux agents médicamenteux chez les patients sont testés, avec des espoirs de stabilisation prolongée, après la découverte récente de mutations dans certains gènes.

Cancer des lèvres, cavité orale et pharynx

1) Les chiffres

- Incidence : 11 316 nouveaux cas estimés en 2012 en France (3 283 chez la femme et 8 033 chez l'homme), c'est le huitième cancer sur l'échelle de fréquence.
- Part de l'ensemble des cancers en France : 3,2 %.
- Comme les cancers du poumon, l'incidence de ce cancer augmente chez la femme et diminue chez l'homme. En effet, chez l'homme le taux d'incidence est passé de 40 cas pour 100 000 personnes en 1980 à 16 cas pour 100 000 personnes en 2012. À l'opposé, chez la femme, le taux d'incidence a quasi doublé passant de 3,5 cas pour 100 000 personnes en 1980 à 6 cas pour 100 000 personnes en 2012.

2) Les causes

- L'alcoolo-tabagisme.
- L'infection au papillomavirus.
- L'âge.
- Le sexe masculin.
- Les rayons ultraviolets.
- L'immunodépression.
- Les syndromes génétiques (maladie de Fanconi, dyskératose congénitale).
- Le lichen plan.

3) La gravité

- Mortalité : 3 192 cas par an en France (2 465 chez la femme et 727 chez l'homme), ce qui représente 2,2 % de l'ensemble des morts par cancer.
- Chez l'homme, le taux de mortalité a diminué de 70 % depuis 1980 passant de 16 à 5 cas pour 100 000. Chez la femme, le taux de mortalité a présenté une légère diminution passant de 1,2 à 1 pour 100 000 personnes.

4) Les raisons d'espérer

De nombreuses recherches sont en cours pour explorer des moyens de prévention primaire de ces cancers.

Avec le séquençage des génomes de plusieurs patients dans le cadre du TCGA (*The Cancer Genome Atlas*), de nouvelles mutations ont été mises en évidence avec un potentiel important de développement de thérapies ciblées.

Mélanome de la peau

1) Les chiffres

- Incidence : 11 176 nouveaux cas estimés en 2012 en France (5 747 chez la femme et 5 429 chez l'homme), c'est le neuvième cancer en termes de fréquence.
- Part de l'ensemble des cancers en France : 3 %.
- Le taux d'incidence spécifique augmente avec l'âge passant chez l'homme de 11 cas pour 100 000 habitants âgés de 35-39 ans à 68 cas âgés de 80-84 ans. Chez la femme, dans la même fourchette d'âge, l'incidence passe de 17 à 39 cas pour 100 000 personnes.
- Entre 1980 et 2012, le taux d'incidence chez l'homme et la femme a augmenté passant de 2,5 à 11 cas pour 100 000 hommes et de 4 à 11 cas pour 100 000 femmes.

2) Les causes

- L'exposition au soleil et à des rayons ultra-violets.
- Le phototype (couleur des yeux, des cheveux, de la peau).
- Un nombre élevé de grains de beauté.
- Des antécédents personnels et familiaux de mélanome.

3) La gravité

- Mortalité : 1 672 cas par an en France (718 chez la femme et 954 chez l'homme), soit 1,1 % de l'ensemble des morts par cancer.
- Chez l'homme, on note un doublement du taux de mortalité lié au mélanome de la peau passant de 0,9 à 1,7 cas pour 100 000 personnes entre 1980 et 2012. Il en est de même chez la femme, même si l'augmentation de l'incidence est moins importante passant de 0,8 à 1 pour 100 000.

4) Les raisons d'espérer

Après plusieurs décennies où peu de progrès ont été réalisés dans le traitement du mélanome de la peau, nous assistons au développement de nombreuses thérapies ciblées, en particulier celles visant 40 % des mélanomes ayant une mutation appelée BRAF. Nous assistons aussi au développement de nouvelles immunothérapies avec des résultats très intéressants, pour certaines déjà utilisées en pratique clinique. D'autres sont en cours de développement et semblent très prometteuses.

Cancer du foie

1) Les chiffres

- Incidence : 8 723 nouveaux cas estimés en 2012 en France (1 856 chez la femme et 6 867 chez l'homme), c'est le dixième cancer en termes de fréquence.
- Part de l'ensemble des cancers en France : 3 %.
- Forte augmentation de l'incidence depuis vingt ans en rapport avec l'augmentation de l'incidence de la cirrhose liée à l'hépatite C. En effet, entre 1980 et 1994, la cirrhose du foie a augmenté de plus de 93 % en France.

2) Les causes

- Le sexe masculin est plus prédisposé.
- L'ethnicité.
- La cirrhose.
- L'hépatite virale chronique.
- L'intoxication alcoolique.
- L'obésité.
- Le diabète de type II.
- L'aflatoxine.
- Certains syndromes métaboliques héréditaires.
- Le tabagisme.
- L'arsenic.

3) La gravité

- Mortalité : environ 5 000 cas par an en France (chiffres non fournis par l'INCA en 2012).

4) Les raisons d'espérer

Deux points importants. L'efficacité d'un médicament qui inhibe l'angiogenèse a été démontrée dans ce cancer, qui offre une option thérapeutique aux patients ayant un carcinome hépatocellulaire.

Le séquençage des génomes entiers de plusieurs tumeurs hépatiques a également permis d'identifier des mutations spécifiques dans certains gènes, ce qui ouvre la perspective de tester de nouveaux agents chez ces patients.

Cancer de la thyroïde

1) Les chiffres

– Incidence : 8 211 nouveaux cas estimés en 2012 en France (5 887 chez la femme et 2 324 chez l'homme), il se place au onzième rang de fréquence des cancers.
– Part de l'ensemble des cancers en France : 3 %.
– Les taux d'incidence sont de 5,5 chez l'homme et de 14 chez la femme.
– L'incidence augmente avec l'âge avec un pic d'incidence en 2012 atteint dans la tranche des 60-69 ans.

2) Les causes

– L'exposition aux rayonnements ionisants (radio, substances radioactives), principalement dans l'enfance.
– Une carence en iode.
– Un possible rôle de l'exposition à des polluants environnementaux.

3) La gravité

– Mortalité : 375 cas par an en France dont 61 % de femmes (145 hommes et 230 femmes)...
– Taux de mortalité de 0,3 % par rapport à l'ensemble des morts par cancer.
– Ce cancer se situe en dix-huitième rang de mortalité sur les 19 localisations de cancer examinées.

4) Les raisons d'espérer

Des progrès majeurs ont été accomplis au cours des cinq dernières années dans le traitement des formes de cancer de la thyroïde résistant à l'iode radioactif. Notamment, plusieurs antiangiogéniques ont été approuvés et le seront encore dans un avenir très proche.

Cancer du corps de l'utérus (endomètre)

1) Les chiffres

- Incidence : 7 275 nouveaux cas estimés en 2012 en France, qui situe ce cancer au douzième rang de fréquence.
- Part de l'ensemble des cancers en France : 2 %.
- On note peu de variation de l'incidence entre 1980 et 2012.

2) Les causes

- L'hyperœstrogénie endogène (obésité, puberté précoce et ménopause tardive, nulliparité, diabète).
- L'hyperœstrogénie thérapeutique (traitement par tamoxifène, traitement hormonal substitutif).
- Une prédisposition génétique (syndrome de Lynch).

3) La gravité

- Mortalité : 2 025 cas par an en France, soit 1,7 % de l'ensemble des cancers.
- On observe une légère diminution de la mortalité entre 1980 et 2012, avec une baisse moyenne de 1 % par an.
- Le cancer du corps de l'utérus est de bon pronostic, car il est souvent diagnostiqué à un stade précoce. Le taux de survie à 5 ans est de 72 % et de 68 % à 10 ans. Cette survie a légèrement augmenté ces dernières années grâce notamment au diagnostic plus précoce et à l'amélioration de la prise en charge chirurgicale.

4) Les raisons d'espérer

La nouvelle classification moléculaire de ces tumeurs proposée par le TCGA a permis d'identifier quatre groupes distincts avec des pronostics différents. Cela pourra ouvrir la voie à la personnalisation des traitements des patients.

Cancer de l'estomac

1) Les chiffres

- Incidence : 6 556 nouveaux cas estimés en 2012 en France (2 248 chez la femme et 4 308 chez l'homme), c'est le treizième cancer en termes de fréquence sur 19 localisations examinées.
- Part de l'ensemble des cancers en France : 2,2 %.
- Taux d'incidence de 7 cas pour 100 000 hommes et de 2,6 cas pour 100 000 femmes.

2) Les causes

- Le sexe masculin y est plus sensible.
- L'âge : plus de 50 ans.
- La fréquence de ce cancer est plus forte en Chine et au Japon.
- L'infection à *Helicobacter pylori*
- Une alimentation riche en aliments fumés ou en poissons salés.
- Le lymphome de l'estomac.
- Le tabagisme.
- Des antécédents de chirurgie gastrique.
- Des syndromes héréditaires de cancer gastrique diffus, de syndrome de Lynch, de polyadénomatose familiale.
- Des antécédents familiaux de cancer de l'estomac.
- Une infection au virus de l'Epstein-Barr Virus (EBV).

3) La gravité

- Mortalité : 4 411 (1 577 chez la femme et 2 834 chez l'homme) cas par an en France.
- Ce cancer se situe au huitième rang des décès avec 4 % de l'ensemble des morts par cancer.
- Le taux de mortalité est de 4 % chez l'homme et de 2 % chez la femme.

4) Les raisons d'espérer

La découverte d'un groupe de tumeurs ayant une amplification d'un oncogène HER2 (12 %) a permis l'utilisation d'une thérapie ciblée habituellement utilisée dans le cancer du sein (herceptine), ce qui a considérablement amélioré le pronostic. De même, un nouveau médicament vient de montrer, ajouté à la chimiothérapie, une efficacité considérable.

Cancer du système nerveux central

1) Les chiffres

- Incidence : 4 999 nouveaux cas estimés en 2012 en France (2 814 chez la femme et 2 185 chez l'homme), ce qui place ce cancer au quatorzième rang de fréquence.
- Part de l'ensemble des cancers en France : 1,7 %.
- Ces cancers sont relativement fréquents dans l'enfance en comparaison des autres tumeurs (taux d'incidence de 1,5 pour 100 000 chez les filles et de 2,4 pour 100 000 garçons avant l'âge de 15 ans). Au-delà de 50 ans, le pic d'incidence est de 27 cas pour 100 000 hommes entre 75 et 79 ans, et de 18 cas pour 100 000 femmes entre 70 et 74 ans.

2) Les causes

- Une radiation ionisante (utilisée en radiologie ou existant dans les essais ou accidents nucléaires).
- Une histoire familiale de neurofibromatose, maladie de Von Hippel-Lindau.
- Un système immunitaire affaibli.

3) La gravité

- Mortalité : 3 052 décès (1 291 chez la femme et 1 762 chez l'homme) par an en France.
- Les taux de mortalité sont de 4 % chez l'homme et de 2 % chez la femme (2,6 % de l'ensemble des cancers).

4) Les raisons d'espérer

On a découvert différents sous-groupes de glioblastomes caractérisés par des anomalies moléculaires récurrentes pour lesquels des traitements ciblés existent. C'est le cas des glioblastomes avec translocation FGFR3 ou les cas avec mutations du gène IDH1.

Cancer de l'ovaire

1) Les chiffres

- Incidence : 4 615 nouveaux cas estimés en 2012 en France, ce cancer est le seizième dans l'ordre de fréquence.
- Taux d'incidence de 7,6 chez la femme.
- Entre 1980 et 2012, on observe une tendance à la diminution de l'incidence chez la femme, de 9 pour 100 000 personnes en 1980 contre 8 en 2012.
- L'incidence de ce cancer diminue depuis 1995 et cette diminution s'accentue depuis 2005. Cela pourrait être dû à la prise de contraceptifs oraux qui est un facteur reconnu de protection contre le cancer de l'ovaire dans différentes études.

2) Les causes

- L'âge : plus de 40 ans.
- L'obésité.
- La contraception orale (diminution du risque).
- Le traitement hormono-substitutif de la ménopause.
- Le cancer du sein.
- Des antécédents familiaux de cancer de l'ovaire, du sein et du côlon.
- Des mutations génétiques héréditaires (gènes BRCA).

3) La gravité

- Mortalité : 3 140 cas par an en France.
- Le taux de mortalité lié à ce cancer le situe au douzième rang des décès parmi les 19 cancers évalués.
- La survie nette est de 40 % à 5 ans et de 32 % à 10 ans.

4) Raisons d'espérer

Actuellement, la recherche teste différents protocoles thérapeutiques pour cibler les cellules souches tumorales ou pour réactiver l'immunité.

Cancer de l'œsophage

1) Les chiffres

- Incidence : 4 632 nouveaux cas estimés en 2012 en France (1 129 chez la femme et 3 503 chez l'homme), ce cancer est au quinzième de rang de fréquence.
- Taux d'incidence de 6 chez l'homme et de 1,5 chez la femme.
- Entre 1980 et 2012, on a observé une tendance à l'augmentation de ce cancer chez la femme, avec 1,5 cas en 2012 *versus* 1 cas en 1980. À l'opposé, l'incidence diminue chez l'homme, on est passé de 16 cas pour 100 000 personnes à 6 cas en 2012 pour 100 000 personnes.
- C'est le cancer dont l'incidence a le plus diminué chez l'homme en France depuis 30 ans, probablement en rapport avec la baisse des comportements à risque (tabac et alcool).

2) Les causes

- L'âge.
- Le sexe : les hommes sont plus exposés.
- Le reflux œsogastrique.
- L'œsophage de Barrett.
- L'alcoolo-tabagisme.
- L'obésité.

3) La gravité

- Mortalité : 3 444 décès (791 chez la femme et 2 653 chez l'homme) par an en France.
- Les taux de mortalité sont de 4,6 chez l'homme et de 0,9 chez la femme (2,7 % de l'ensemble des morts par cancer).
- Le taux de mortalité lié à ce cancer se situe au dixième rang des décès parmi les 19 cancers évalués.

4) Les raisons d'espérer

La caractérisation d'un groupe de ces tumeurs exprimant l'oncogène HER2 (24 %) a permis l'utilisation de l'herceptine dans ce cancer ; l'herceptine est une thérapie ciblée initialement découverte pour le traitement des patientes ayant un cancer du sein qui a déjà fait ses preuves.

Cancer du larynx

1) Les chiffres

– Incidence : 3 322 nouveaux cas estimés en 2012 en France (501 chez la femme et 2 821 chez l'homme), ce qui place ce cancer au dix-septième rang de fréquence des cancers.

– Taux d'incidence de 5,4 chez l'homme et de 0,9 chez la femme.

– Entre 1980 et 2012, on a observé une légère augmentation de l'incidence chez la femme avec 0,9 en 2012 contre 0,6 en 1980. À l'opposé, l'incidence réduit chez l'homme de 37 %, passant de 14,2 cas pour 100 000 personnes en 1980 contre 5,4 en 2012.

– Les modifications de la consommation de tabac due à une diminution de 50 % chez l'homme depuis 1950 expliquent une partie des chiffres de ce cancer.

2) Les causes

– La consommation alcoolo-tabagique.

– L'infection au papillomavirus.

– L'âge : le risque augmente avec l'âge.

– Le sexe masculin y est plus sensible.

– Le reflux gastro-œsophagien.

– Une alimentation pauvre.

3) La gravité

– Mortalité : 906 décès (123 chez la femme et 783 chez l'homme) par an en France.

– Les taux de mortalité sont de 1,4 chez l'homme et de 0,2 chez la femme (0,8 % de l'ensemble des morts par cancer).

– Le taux de mortalité lié à ce cancer se situe au dix-septième rang des décès parmi les 19 cancers examinés.

4) Les raisons d'espérer

La découverte des altérations de certains gènes va indéniablement ouvrir la voie à de nouvelles thérapies ciblées.

Cancer du col de l'utérus

1) Les chiffres

- Incidence : 3 028 nouveaux cas estimés en 2012 en France, c'est le dix-huitième cancer en termes de rang de fréquence sur les 19 localisations examinées.
- Taux d'incidence de 6,7 chez la femme, soit 6,7 pour 100 000.
- Entre 1980 et 2012, on observe une tendance à la diminution de l'incidence avec 6,7 cas pour 100 000 personnes en 2012 contre 15 cas pour 100 000 personnes en 1980.
- Cette tendance est très fortement liée à la mise en place des systèmes de dépistage par frottis cervico-vaginal depuis les années 1960.

2) Les causes

- L'infection au papillomavirus (HPV).
- Le tabagisme.
- L'immunodépression.
- L'infection à *Chlamydia*.
- La contraception orale (probable augmentation du risque).
- L'utilisation de dispositif intra-utérin.
- Les grossesses multiples.
- Un âge jeune à la première grossesse.
- La pauvreté.
- La prise de Distilbène® chez les mères entre 1940 et 1971.
- Un antécédent familial de cancer du col.

3) La gravité

- Mortalité : 1 102 décès par an en France.
- Les taux de mortalité sont de 1,8 chez la femme soit 0,9 % de l'ensemble des morts par cancer.
- Le taux de mortalité lié à ce cancer se situe au seizième rang des décès.

4) Les raisons d'espérer :

La vaccination contre les formes les plus virulentes du virus de l'HPV est recommandée en France chez les filles, dès l'âge de 12 ans. Cela, outre le dépistage systématique, va induire une diminution sérieuse du risque du cancer du col.

Cancer du testicule

1) Les chiffres

– Incidence : 2 317 nouveaux cas estimés en 2012 en France, sur les 19 cancers évalués, il se situe au dix-neuvième rang de fréquence.
– Taux d'incidence de 7,2 chez l'homme avec un pic d'incidence en 2012 atteint pour la classe d'âge 30-34 ans.
– Entre 1980 et 2012, on a observé un doublement de l'incidence chez l'homme depuis 1980 en passant de 3,3 à 7,2 cas pour 100 000 personnes en 2012.

2) Les causes

– La cryptorchidie ou l'absence de descente des testicules.
– Histoire familiale.
– Une infection au VIH.
– Un carcinome *in situ*.
– Un cancer de l'autre testicule.
– L'âge : entre 20 et 34 ans.
– Ethnicité : le risque est augmenté chez les sujets de type caucasien par rapport aux personnes à la peau noire.

3) La gravité

– Mortalité : 85 décès par an en France.
– La mortalité pour ce cancer est en diminution depuis 1980 passant de 0,7 à 0,2 pour 100 000 personnes. Cela est lié aux chimiothérapies qui utilisent les sels de platine.
– Le taux de mortalité lié à ce cancer se situe au dix-neuvième et dernier rang des 19 cancers évalués.

4) Les raisons d'espérer :

De nouveaux protocoles d'intensification thérapeutique à base de sels de platine sont proposés dans les formes de cancers résistants. La compréhension de la génétique des tumeurs résistantes aux chimiothérapies à base de sels de platine devra être élucidée dans les années à venir, ce qui va ouvrir la voie à de nouvelles thérapeutiques, des traitements sans platine donc moins toxiques.

Calculer son indice de masse corporelle

L'indice de masse corporelle ou IMC, ou BMI (de l'anglais *Body Mass Index*) traduit le rapport entre le poids et la taille d'un individu. Il se calcule simplement en divisant le poids en kilos par la taille au carré.

$$\frac{\text{Poids (en kilos)}}{\text{Taille (en m)} \times \text{taille (en m)}}$$

Il s'exprime donc en kg/m^2.

Autrement dit, en multipliant la taille en mètres par elle-même et en divisant le poids en kilos par le chiffre obtenu.

Par exemple pour un sujet pesant 62 kg et mesurant 1,75 m : vous multipliez 1,75 par 1,75, vous trouvez : 3,06. Prenez maintenant le poids : 62 kg et divisez-le par 3,06 et vous allez trouver : 20,26 kg/m^2. Ce chiffre est l'IMC ou le BMI. Et, à 20,2, il est parfaitement normal selon la grille d'interprétation de l'OMS.

IMC (kg/m²)	Interprétation selon l'OMS
Moins de 16,5	Dénutrition
16,5 à 18,5	Maigreur
18,5 à 25	Normal
25 à 30	Surpoids
30 à 35	Obésité modérée ;
35 à 40	Obésité sévère
Plus de 40	Obésité morbide

Bibliographie

CHAPITRE 4 – ATTENTION DANGER

Vitamine A et bêta-carotène (p. 49)

Satia J. A. *et al.*, « Long-term use of beta-carotene, retinol, lycopene, and lutein supplements and lung cancer risk : Results from the VITamins And Lifestyle (VITAL) study », *Am. J. Epidemiol.*, 2009, 169 (7), p. 815-828.

Bjelakovic G., Nikolova D., Simonetti R. G., Gluud C., « Antioxidant supplements for prevention of gastrointestinal cancers : A systematic review and meta-analysis », *The Lancet*, 2004, vol. 364, n° 9441, p. 1219-1228.

The Alpha-Tocopherol, Beta-carotene Cancer Prevention Study Group, « The effect of vitamin E and beta-carotene on the incidence lung cancer and others cancers in male smokers », *N. Eng. J. Med.*, 1994, 330 (15), p. 1029-1035.

Meyer F., Bairati I., Têtu B. *et al.*, « Interaction between antioxidant vitamin supplementation and cigarette smoking during radiation therapy in relation to long-term effects on recurrence and mortality : A randomized trial among head and neck cancer patients », *IJC*, 2008, p. 1679-1683.

Vitamine E (p. 54)

Klein E. A. *et al.*, « Vitamin E and the risk of prostate cancer : The Selenium and Vitamin E Cancer Prevention Trial (SELECT) », *JAMA*, 2011, 306 (14), p. 1549-1556.

The Alpha-Tocopherol, Beta-carotene Cancer Prevention Study Group, « The effect of vitamin E and beta-carotene on the incidence lung cancer and others cancers in male smokers », *N. Eng. J. Med.*, 1994, 330 (15), p. 1029-1035.

Vitamine D (p. 57)

Xu Y., Shao X., Yao Y., Xu L., Chang L., Jiang Z., Lin Z., « Positive association between circulating 25-hydroxyvitamin D levels and prostate cancer risk : New findings from an updated meta-analysis », *J. Cancer Res. Clin. Oncol.*, 2014, 140 (9), p. 1465-1477.

Médicaments hypertenseurs (p. 64)

Li C. *et al.*, « Use of antihypertensive medications and breast cancer risk among women 55-74 years of age », *JAMA Internal Medicine*, 5 août 2013.

Viagra® (p. 65)

Qureshi Abrar A. *et al.*, « Sildenafil use and increased risk of incident melanoma in US men. A prospective cohort study », *JAMA Intern. Med.*, 2014, 174 (6), p. 964-970.

Coups de soleil et mélanome (p. 66)

Wu S., Han J., Laden F., Qureshi A. A., « Long-term ultraviolet flux, other potential risk factors, and skin cancer risk : A cohort study », *Cancer Epidemiol. Biomarkers Prev.*, 2014, 23 (6).

Cabines de bronzage (p. 67)

Colantonio S., Bracken M. B., Beecker J., « The association of indoor tanning and melanoma in adults : Systematic review and meta-analysis », *J. Am. Acad. Dermatol.*, 2014, 70 (5), p. 847-857.

Grains de beauté (p. 68)

Zhang M. *et al.*, « Association between cutaneous nevi and breast cancer in the Nurses' Health Study : A prospective cohort Study », *PLOS Med.*, 6 juin 2014.

Kvaskoff M. *et al.*, « Association between melanocytic nevi and risk of breast diseases : The French E3N Prospective Cohort », *PLOS Med.*, 6 juin 2014.

Oméga-3 (p. 70)

MacLean C. H. *et al.*, « Effects of omega-3 fatty acids on cancer risk : A systematic review », *JAMA*, 2006, 295 (4), p. 403-415.

Klein E. A. *et al.*, « Vitamin E and the risk of prostate cancer : The Selenium and Vitamin E Cancer Prevention Trial (SELECT) », *JAMA*, 2011, 306 (14), p. 1549-1556.

Bradsky M. T. *et al,* « Plasma phospholipid fatty acids and prostate cancer risk in the SELECT Trial », *Journal of the National Cancer Insitute,* 2013, 105 (15), p. 113-141.

Chauffeurs routiers (p. 76)
Conférence du docteur L. Joseph Su du National Cancer Institute de Rockville Maryland. 12th annual AACR international conference on Frontiers in cancer prevention research : Abstract B63. Cité dans « Specific occupationsliked to aggressive prostate cancer », *Medscape,* 7 novembre 2013.

Travail de nuit (p. 77)
Grundy A., Richardson H., Burstyn I. *et al.,* « Increased risk of breast cancer associated with long-term shift work in Canada », *Occup. Environ. Med.,* publication en ligne le 1[er] juillet 2013.

CHAPITRE 5 – LE TOP 7 DES BONS ALIMENTS ANTICANCER

Grenade (p. 79)
Pantuck A. J., Leppert J. T., Zomorodian N. *et al.,* « Phase II study of pomegranate juice for men with rising prostate-specific antigen following surgery or radiation for prostate cancer », *Clin. Cancer Res.,* 2006, 12 (13), p. 4018-4026.

Paller C. J., Ye X., Wozniak P. J., Gillespie B. K., Sieber P. R., Greengold R. H., Stockton B. R., Hertzman B. L., Efros M. D., Roper R. P., Liker H. R., Carducci M. A., « A randomized phase II study of pomegranate extract for men with rising PSA following initial therapy for localized prostate cancer », *Prostate Cancer Prostatic Dis.,* 2013, 16 (1), p. 50-55.

Thomas R., Williams M., Sharma H., Chaudry A., Bellamy P., « A double-blind, placebo-controlled randomised trial evaluating the effect of a polyphenol-rich whole food supplement on PSA progression in men with prostate cancer-the UK NCRN Pomi-T study », *Prostate Cancer Prostatic Dis.,* 2014, 17, p. 180-186.

Paller C. J. *et al.,* « A randomized phase II study of pomegranate extract for men with rising PSA following initial therapy for localized prostate cancer », *Prostate Cancer Prostatic Dis.,* 2013, 16 (1), p. 50-55.

Lynn A., Chen S. *et al.,* « Pomegranate ellagitannin-derived compounds exhibit anti-proliferative and anti-aromatase activity in breast cancer cells *in vitro* », *Cancer Prev. Res.,* 2010, 3 (1), p. 108-113.

Thomas R., Williams M., Sharma H., Chaudry A., Bellamy P., « A double-blind, placebo-controlled randomised trial evaluating the effect of a polyphenol-rich whole food supplement on PSA progression in men with prostate cancer – the UK NCRN Pomi-T study », *Prostate Cancer and Prostatic Disease,* 2014, 17, p. 180-186.

Stenner-Liewen F. *et al.,* « Daily pomegranate intake has no impact on PSA levels in patients with advanced prostate cancer – Results of a phase IIb randomized controlled trial », *J. Cancer,* 2013, 4 (7), p. 597-605.

Ail (p. 84)

Galeone C. et *al.,* « Onion and garlic use and human cancer », *Am. J. Clin. Nutr.,* 2006, 84 (5), p. 1027-1032.

Fleischauer A. T., Poole C., Arab L., « Garlic consumption and cancer prevention : Meta-analyses of colorectal and stomach cancers », *Am. J. Clin. Nutr.,* 2000, vol. 72, n° 4, p. 1047-1052.

Sélénium (p. 88)

Bjelakovic G., Nikolova D., Simonetti R. G., Gluud C., « Antioxidant supplements for prevention of gastrointestinal cancers : A systematic review and meta-analysis », *The Lancet,* 2004, vol. 364, n° 9441, p. 1219-1228.

Duffield-Lillico A. J. *et al.,* pour le The Nutritional Prevention of Cancer Study Group, « Baseline characteristics and the effect of selenium supplementation on cancer incidence in a randomized clinical trial : A summary report of the nutritional prevention of cancer trial », *Cancer Epidemiol. Biomarkers Prev.,* 2002, 11, p. 630.

Amaral A. F. S., Kenneth P. C., Silverman D. T., Malats N., « Selenium and bladder cancer risk : A meta-analysis », *Cancer Epidemiol. Biomarkers Prev.,* 2010, 19, p. 2047.

Curcuma (p. 92)

Golombick T. *et al.,* « The potential role of curcumin in patients with monoclonal gammopathy of undefined significance – Its effect on paraproteinemia and the urinary N-telopeptide of type I collagen bone turnover marker », *Clin. Cancer Res.,* 2009, 15 (18), p. 5917-5922.

Golombick T., Diamond T. H., Manoharan A., Ramakrishna R., « Monoclonal gammopathy of undetermined significance, smoldering multiple myeloma, and curcumin : A randomized, double-blind placebo-controlled cross-over 4g study and an open-label 8g extension study », *Am. J. Hematol.,* 2012, 87 (5), p. 455-460.

Golombick T., Diamond T., Manoharan A., Ramakrishna R., « Response to Vermorken *et al.* – Curcumin and free light chains », *Am. J. Hematol.,* 2012, 87 (10), e80-e81.

Vadhan-Raj S., Weber D., Wang M., Giralt S., Alexanian R., Thomas S. *et al.*, « Curcumin downregulates NF-KB and related genes in patients with multiple myeloma : Results of a phase I/II study », *Blood,* 2007, 110 (11), p. 375.

Ide H., Tokiwa S., Sakamaki K., Nishio K., Isotani S., Muto S. *et al.*, « Combined inhibitory effects of soy isoflavones and curcumin on the production of prostate-specific antigen », *Prostate,* 2010, 70 (10), p. 1127-1133.

Dhillon N., Aggarwal B. B., Newman R. A., Wolff R. A., Kunnumakkara A. B., Abbruzzese J. L. *et al.*, « Phase II trial of curcumin in patients with advanced pancreatic cancer », *Clin. Cancer Res.,* 2008, 14 (14), p. 4491-4499.

Epelbaum R., Schaffer M., Vizel B., Badmaev V., Bar-Sela G., « Curcumin and gemcitabine in patients with advanced pancreatic cancer », *Nutr. Cancer.,* 2010, 62 (8), p. 1137-1141.

He Z. Y., Shi C. B., Wen H., Li F. L., Wang B. L., Wang J., « Upregulation of p53 expression in patients with colorectal cancer by administration of curcumin », *Cancer Invest.,* 2011, 29 (3), p. 208-213.

Cruz-Correa M., Shoskes D. A., Sanchez P., Zhao R., Hylind L. M., Wexner S. D. *et al.*, « Combination treatment with curcumin and quercetin of adenomas in familial adenomatous polyposis », *Clin. Gastroenterol. Hepatol.,* 2006, 4 (8), p. 1035-1038.

Cheng A. L., Hsu C. H., Lin J. K., Hsu M. M., Ho Y. F., Shen T. S. *et al.*, « Phase I clinical trial of curcumin, a chemopreventive agent, in patients with high-risk or pre-malignant lesions », *Anticancer. Res.,* 2001, 21 (4B), p. 2895-2900.

Quercétine (p. 98)

Bobe G. *et al.*, « Flavonoid intake and risk of pancreatic cancer in male smokers », *Cancer Epidemiol. Biomarkers Prev.,* 2008, 17 (3), p. 553-562.

Nöthlings U. *et al.*, « Flavonols and pancreatic cancer risk : The multiethnic cohort study », *Am. J. Epidemiol.,* 2007, 166 (8), p. 924-931.

Thé vert (p. 101)

Tsao A. S. *et al,* « Phase II randomized, placebo-controlled trial of green tea extract in patients with high-risk oral premalignant lesions », *Cancer Prev. Res.,* 2009, 2 (11), p. 931-941.

Shanafelt T. D. *et al.*, « Phase 2 trial of daily, oral Polyphenon E in patients with asymptomatic, Rai stage 0 to II chronic lymphocytic leukemia », *Cancer,* 2013, 119 (2), p. 363-370.

Brocoli (p. 105)

Li Y., Zhang T., Korkaya H., Liu S., Lee H. F., Newman B., Yu Y., Clouthier S. G., Schwartz S. J., Wicha M. S., Sun D., « Sulforaphane, a dietary component of broccoli/broccoli sprouts, inhibits breast cancer stem cells », *Clin. Cancer Res.*, 2010, 16 (9), p. 2580-2590.

CHAPITRE 6 – NOS COMPORTEMENTS :
BONS, MAUVAIS OU À RISQUE ?

Sexualité (p. 109)

Mandel J. S., Schuman L. M., « Sexual factors and prostatic cancer : Results from a case control study », *J. Gerontol.*, 1987, 42, p. 259-264.

Le M. G., Bachelot A., Hill C., « Characteristics of reproductice life and risk of breast cancer in case-control study of young nulliparous women », *J. Clin. Epidemiol.*, 1989, 42, p. 1227-1233.

Gjorgov A. N., « Breast cancer and barrier contraception : Postulated and corroborated potential for prevention », *Folia Med. (Plovdiv.)*, 1998, 40, p. 17-23.

Vitamine B6 et méthionine (p. 114)

Johansson M. *et al.*, « Serum B vitamin levels and risk of lung cancer », *JAMA*, 2010, vol. 303, n° 23, p. 2377-2385.

Café (p. 120)

Bravi F., Bosetti C., Tavani A., Gallus S., La Vecchia C., « Coffee reduces risk for hepatocellular carcinoma : An updated meta-analysis », *Clin. Gastroenterol. Hepatol.*, 2013, 11 (11), p. 1413-1421.

Jang E. S., Jeong S. H., Lee S. H., Hwang S. H., Ahn S. Y., Lee J., Park Y. S., Hwang J. H., Kim J. W., Kim N., Lee D. H., Kim H. Y., « The effect of coffee consumption on the development of hepatocellular carcinoma in hepatitis B virus endemic area », *Liver Int.*, 2013, 33 (7), p. 1092-1099.

Sang L. X., Chang B., Li X. H., Jiang M. « Consumption of coffee associated with reduced risk of liver cancer : A meta-analysis », *BMC Gastroenterol.*, 2013, 13, p. 34.

Setiawan V. W., University South California, Norris Comprehensive Cancer Center, « Coffee linked with lower liver cancer risk », Présentation à la réunion annuelle de l'American Association for Cancer Research.

Li X. J., Ren Z. J, Qin J. W., Zhao J. H., Tang J. H., Ji M. H., Wu J. Z., « Coffee consumption and risk of breast cancer : An up-to-date meta-analysis », *PLoS One*, 2013, 8 (1).

Al-Dakkak I., « Tea, coffee and oral cancer risk », *Evid Based Dent.*, *2011*, 12 (1), p. 23-24.

Hildebrand J. S., Patel A. V., McCullough M. L., Gaudet M. M., Chen A. Y., Hayes R. B., Gapstur S. M., « Coffee, tea, and fatal oral/pharyngeal cancer in a large prospective U S cohort », *Am. J. Epidemiol.*, 2013, 177 (1), p. 50-58.
Huang T. B., Guo Z. F., Zhang X. L., Zhang X. P., Liu H., Geng J., Yao X. D., Zheng J. H., « Coffee consumption and urologic cancer risk : A meta-analysis of cohort studies », *Int. Urol. Nephrol.*, 2014, 46 (8), p. 1481-1493.
Fortes C., Mastroeni S., Boffetta P., Antonelli G., Pilla M. A., Bottà G., Anzidei P., Venanzetti F., « The protective effect of coffee consumption on cutaneous melanoma risk and the role of GSTM1 and GSTT1 polymorphisms », *Cancer Causes Control.*, 2013, 24 (10), p. 1779-1787.
Ferrucci L. M., Cartmel B., Molinaro A. M., Leffell D. J., Bale A. E., Mayne S. T., « Tea, coffee, and caffeine and early-onset basal cell carcinoma in a case-control study », *Eur. J. Cancer Prev.*, 2014, 23 (4), p. 296-302.

Apnée du sommeil (p. 128)

Marshall S. N. *et al.*, « Sleep apnea and 20-year follow-up for all-cause mortality, stroke, and cancer incidence and mortality in the Busselton Health Study Cohort », *J. Clin. Sleep Medecine*, 2014, 10 (8), p. 355-362.

Dormir trop (p. 129)

Zhang X. *et al.*, « Associations of self-reported sleep duration and snoring with colorectal cancer risk in men and women », *Sleep*, 2013, 36 (5), p. 681-688.

Chicha (p. 140)

St Helen G., Jacob III P. *et al.*, « Nicotine and carcinogen exposure after water pipe smoking in hookah bars », *Cancer Epidemiology, Biomarkers and Prevention*, publication en ligne 16 mai 2014.

Ongles vernis (p. 140)

Shipp L. R. *et al.*, « Further investigation into the risk of skin cancer associated with the use ov UV nail lamps », *JAMA Dermatol.*, 2014, 150 (7), p. 775-776.

Bains de bouche et hygiène dentaire (p. 141)

Ahrens W. *et al.*, « Oral health, dental care and mouthwash associated with upper aerodigestive tract cancer risk in Europe : the ARCAGE study », *Oral. Oncol.*, 2014, 50 (6), p. 616-625.

Position assise (p. 142)

Conférence du docteur Christine Sardo Molmenti de Columbia University Mailman School of Public Health à New York : « Sedentary behavior linked to recurrence of precancerous coloretal tumors », 28 octobre 2013, 12th annual AACR international conference on Frontiers in cancer prevention research.

Faire (beaucoup) de vélo... (p. 143)

Hollingworth M., Harper A., Hamer M., « An observational study of erectile dysfunction, infertility, and prostate cancer in regular cyclists : Cycling for Health UK Study », *Journal of Men's Health*, 11 (2), p. 75-79.

Circoncision (p. 144)

Spence A. R., Rousseau M.-C., Karakiewicz P. I., Parent M.-É., « Circumcision and prostate cancer : A population-based case-control study in Montreal », Canada, *BJU International*, 2014, doi :10.1111/bju.12741.

Contraception masculine (p. 144)

Siddiqui Minhaj M., Wilson K., Epstein M., Massoubre C., « Vasectomy and risk of aggressive prostate cancer : A 24-year follow-up study », *Journal of Clinical Oncology*, publication en ligne le 7 juillet 2014.

Règles irrégulières (p. 145)

Cohn B. A., Fishman D. A., présentation de la PHI Study Finds à l'American Association for Cancer Research, San Diego, Californie, 9 avril 2014, cité *in* Gordon S. « Irregular periods may be risk factor for ovarian cancer : Study Suggests », *HealthDay*, 9 avril 2014.

Grande taille (p. 146)

Kabat G. C. *et al.*, « Adult stature and risk of cancer at different anatomic sites in a cohort of postmenopausal women », *Cancer Epidemiol. Biomarkers Prev.*, 2013, 22 (8), p. 1353-1363.

Silhouette en forme de pomme ou de poire (p. 147)

Huang Z. *et al.*, « Waist circumference, waist : Hip ratio, and risk of breast cancer in the Nurses' Health Study », *Am. J. Epidemiol.*, 1999, 150 (12), p. 1316-1324.

Harris H. R., Willett W. C., Terry K. L., Michels K. B., « Body fat distribution and risk of premenopausal breast cancer in the Nurses' Health Study II », 2011, *J. Natl. Cancer Inst.*, 103 (3), p. 273-278.

Fagherazzi G. *et al.*, « Body shape throughout life and the risk for breast cancer at adulthood in the French E3N cohort », *Eur J Cancer Prev.*, 2013, 22 (1), p. 29-37.

CHAPITRE 7 – LA POLLUTION JOUE UN RÔLE

Téléphones portables (p. 151)

Coureau G., Bouvier G., Lebailly P., Fabbro-Peray P., Gruber A., Leffondré K., Guillamo J.-S., Loiseau H., Mathoulin-Pélissier S., Salamon R., Baldi I., « Mobile phone use and brain tumours in the CERENAT case-control study », *Occup. Environ. Med.*, 2014, 71 (7), p. 514-522.

Poulsen A. H., Friis S., Johansen C., Jensen A., Frei P., Kjaer S. K., Dalton S. O., Schüz J., « Mobile phone use and the risk of skin cancer : A nationwide cohort study in Denmark », *Am. J. Epidemiol.*, 2013, 178 (2), p. 190-197.

Cardis E. *et al.*, « Brain tumour risk in relation to mobile telephone use : Results of the INTERPHONE international case-control study », *Int. J. Epidemiol.*, 2010, 39 (3), p. 675-694.

Little M. P., Rajaraman P., Curtis R. E., Devesa S. S., Inskip P. D., Check D. P., Linet M. S., « Mobile phone use and glioma risk : Comparison of epidemiological study results with incidence trends in the United States », *B. M. J.*, 2012 Mar 8 ; p. 344.

Deltour I., Auvinen A., Feychting M., Johansen C., Klaeboe L., Sankila R., Schüz J., « Mobile phone use and incidence of glioma in the Nordic countries 1979-2008 : Consistency check », *Epidemiology*, 2012, 23 (2), p. 301-307.

Rochefort H., Jouannet P. au nom d'un groupe de travail, « 11-12 perturbateurs endocriniens (PEs) et cancers. Analyse des risques et des mécanismes, propositions pratiques », *Bull. Acad. Natl. méd.*, séance du 8 novembre 2011, 195 (8), p. 1965-1979.

Ekenga C. C., Parcs C. G., D'Aloisio A. A., DeRoo L. A., Sandler D. P., « Breast cancer risk after occupational solvent exposure : The influence of timing and setting », *Cancer Research*, 2014, 74 (11), p. 3076-3083.

Chrome VI (p. 164)

Bravo-Maza T. et Viard S., *Quand le cuir veut notre peau*, enquête, France 5, 13 octobre 2013.

Produits ménagers (p. 165)

Ekenga C. C., Parks C. G., D'Aloisio A. A., DeRoo L. A., Sandler D. P., « Breast cancer risk after occupational solvent exposure : The influence of timing and setting », *Cancer Res.*, 2014, 74 (11), p. 3076-3083.

Diesel (p. 166)

OMS, *Qualité de l'air ambiant (extérieur) et santé*, Aide-mémoire n° 313.

Pedersen M., Giorgis-Allemand L., Bernard C., Lepeule J., Brunekreef B., Kogevinas M., Slama R., « Ambient air pollution and low birthweight : A European cohort study (ESCAPE) », *The Lancet*, 2013, 1 (9), p. 695-704.

« Escape, European study of Cohorts for Air Pollution Effets », 2014, http://www.escapeproject.eu/

Turner M. C., Krewski D., Pope C. A. 3rd, Chen Y., Gapstur S. M., Thun M. J., « Long-term ambient fine particulate matter air pollution and lung cancer in a large cohort of never-smokers », *Am. J. Respir. Crit. Care Med.*, 2011, 184 (12), p. 1374-1381.

Olsson A. C. *et al.*, « Exposure to diesel motor exhaust and lung cancer risk in a pooled analysis from case-control studies in Europe and Canada », *Am. J. Respir. Crit. Care Med.*, 2011, 183 (7), p. 941-948.

Index thématique

Remerciements

Je dédie ce livre à Jocelyne, Julie, Barbara, Cécile et Esther, ma femme, mes filles et ma petite-fille. Je veux, avec ce livre, les aider à essayer de réduire leur risque d'avoir un jour cette terrible maladie.

Je dédie aussi ce livre à ma mère et mon père, mes frères et sœurs, qui m'ont dit combien ils étaient fiers de mon implication dans la prévention du cancer depuis *Le Vrai Régime anticancer*. Ils ont assez souffert eux aussi de cette maladie. Ils en connaissent le poids et la souffrance.

Écrire un livre qui nécessite autant de documentation et donc d'heures de travail, prélevées nécessairement sur mes week-ends ou mes vacances (je n'écris jamais à l'hôpital), implique que j'ai un peu « pourri » le temps que j'aurais dû consacrer à mes amis. Qu'ils me pardonnent et surtout Claude et Bénédicte, Catherine et Herbert, Gilbert et Danièle, et puis Caroline, Patrick, Alexandre, Stéphanie et Anne-Marine, Pierre et Valérie, Hélène, Myriam et bien d'autres...

Je le dédie aussi à deux femmes, européennes, exceptionnelles dans leur implication personnelle dans la lutte contre le cancer : à Marianna Vardinoyannis et à Regine Sixt.

Enfin, à tous mes amis chefs, les grands et les petits, les étoilés et ceux qui ne le sont pas. Ils m'ont convaincu, s'il en était besoin, que bien manger pouvait contribuer à rester en bonne santé.

Et puis comment ne pas penser affectueusement à Joëlle, Naïma, Christine, Stéphanie, Anne-Marine, à Gabriel Malouf et Jean-Philippe Spano, à Nathalie Hutter-Lardeau, à Laura Zuili et Caroline Rolland dont l'aide a été si précieuse.

Enfin, et surtout, je tiens à remercier mon amie Odile Jacob, éditrice au talent exceptionnel, qui a su me guider depuis des années dans l'écriture de mes livres.

Table

TABLE 269

PARTIE III

Le goût de vivre et l'espoir de guérir

TABLE 271

CAHIER PRATIQUE

Chez Odile Jacob

De larmes et de sang, 2013.
Les Recettes gourmandes du vrai régime anticancer, avec Caroline Rostang, 2011.
Le Vrai Régime anticancer, avec Nathalie Hutter-Lardeau, 2010.
Guide pratique du cancer, avec Odilon Wenger, Dominique Delfieu, 2007.
Les Chemins de l'espoir, 2003, « Poches Odile Jacob », 2005.

Chez d'autres éditeurs

La Vie pour s'aimer, Plon, 2009.
Ne meurs pas, Anne Carrière, 2002.
Le Coffre aux âmes, Éditions XO, 2002.

Cet ouvrage a été composé
en ITC Galliard et en Whitney
par Nord Compo
à Villeneuve-d'Ascq (Nord).

Impression réalisée par

en octobre 2014

N° d'édition : 7381-2924-X – N° d'impression : 3007291
Dépôt légal : octobre 2014
Imprimé en France